STARDUST
LE MYSTÈRE DE L'ÉTOILE

NEIL GAIMAN

STARDUST
LE MYSTÈRE DE L'ÉTOILE

TRADUIT DE L'ANGLAIS
PAR FRÉDÉRIQUE LE BOUCHER

Titre original :
STARDUST

À Gene et Rosemary Wolfe.

Chanson

Va, et attrape au vol une étoile filante,
Fais qu'une Mandragore enfante,
Dis-moi où s'en sont allées les années,
Qui, du Diable, a fendu le pied,
Apprends-moi, des Sirènes, à ouïr le murmure,
Ou comment, de l'envie, ignorer la morsure,
Et trouve
Quel vent
Pousse un cœur honnête en avant.

Fusses-tu né pour voir l'irréel,
Les choses invisibles au commun des mortels,
Eusses-tu voyagé dix mille jours et nuits,
Jusqu'à ce que l'âge, de givre, eût poudré ta chevelure,
Et, dès que revenu, m'eusses-tu conté, l'ami,
Tout ce qu'eusses vécu d'étranges aventures,
Nulle part, en nulle contrée,
Tu l'eusses pu jurer
Ne vit femme fidèle et de toute beauté,

En trouverais-tu une, sitôt me l'écrirais,
Semblable pèlerinage si doux me serait,
Et pourtant non, au final, point n'irais,
Quoique au seuil voisin, nous pourrions rencontrer
Quelque fidèle qu'elle fût, quand croisa ton chemin,
Et quelle qu'elle le restât, quand parvint ton billet,
Il n'en demeure pas moins
Qu'avant mon arrivée
À deux ou trois déjà, elle se sera donnée.

John Donne (1572-1631)
Poèmes

Chapitre
premier

Du village de Wall et des étranges choses y advenant tous les neuf ans.

Il était une fois un jeune homme qui voulait conquérir l'Élue de son Cœur.

Quoique, à en croire semblable introduction, il n'y ait guère là de quoi faire un roman (toutes les histoires de tous les jeunes gens qui furent et seront pourraient commencer de la même façon), ce jeune homme-là et ce qui lui arriva – lui-même, d'ailleurs, ne le sut jamais vraiment – sortent suffisamment de l'ordinaire pour mériter, le premier, d'être le héros et, le second, l'intrigue de notre histoire.

Celle-ci commence, comme bien des histoires ont commencé : à Wall.

Le village de Wall se trouve encore aujourd'hui là où il a toujours été – depuis six cents ans, tout au moins : perché sur un téton de granit, au cœur d'une petite forêt. Les maisons de Wall se ressemblent toutes : vieilles, carrées, avec une façade de pierre grise, un toit d'ardoise et une haute cheminée. Tirant profit du moindre pouce de roc, elles s'imbriquent, se chevauchent, s'appuient les unes contre les autres comme pour ne pas tomber, un malheureux buisson ou un maigre arbrisseau agrippé, çà et là, à leurs flancs.

Il n'y a qu'une seule route pour aller à Wall : un petit sentier en lacets qui gravit le raidillon au sortir de la forêt, bordé de rochers et de petits cailloux. Lorsqu'on le suit assez loin vers le sud, jusqu'à quitter le couvert des futaies, il disparaît bientôt sous une couche d'asphalte pour devenir une vraie route bitumée. S'aventure-t-on plus loin

9

encore, la route s'élargit – filant à toute allure vers les grandes villes, voitures et camions y affluent à toute heure. Persévère-t-on jusqu'au bout, elle nous conduit même jusqu'à Londres – il faut toutefois compter une nuit entière pour se rendre de Wall à Londres en voiture.

Les habitants de Wall – plutôt du genre taciturne, dans l'ensemble – se répartissent en deux types bien distincts : il y a ceux qui sont nés à Wall – aussi grands, gris et robustes que le piton de granit sur lequel leur village est construit – et les autres, ceux qui ont choisi de s'installer à Wall et qui y sont restés, ainsi que leurs descendants.

À l'ouest, au pied du village, s'étend une forêt. Au sud, se prélasse un vaste lac, aussi traître que placide, alimenté par des cours d'eau qui dévalent les collines de l'autre côté de Wall, au nord. Au nord, moutonnent les collines où les bergers mènent paître leurs troupeaux. Et, à l'est, la forêt reprend ses droits.

C'est dans cette dernière direction, tout près du village, que se dresse la haute muraille de pierre grise qui lui a donné son nom. Ce vieux et solide rempart, édifié avec de gros blocs de granit carrés taillés dans la masse, semble ne sortir de la forêt que pour mieux y retourner.

Le mur ne s'interrompt qu'en un seul endroit : sur environ six pieds de large, en remontant un peu vers le nord.

Par cette brèche, on aperçoit une vaste prairie et, par-delà cette prairie, une rivière et, par-delà cette rivière, un rideau d'arbres. De temps à autre, des ombres et des formes apparaissent entre les arbres, au loin : des formes gigantesques, des formes minuscules, des formes étranges et d'éphémères étincelles qui scintillent, le temps d'un soupir, avant de s'évanouir. Quoique l'herbe y soit grasse et abondante, jamais aucun des villageois n'a fait paître ses bêtes de l'autre côté du mur ; pas plus qu'il n'y a jamais semé la moindre graine.

Bien au contraire : cela fait des siècles – peut-être même des millénaires – que le village poste des sentinelles de part et d'autre de la brèche et que les villageois font de leur mieux pour ne pas y penser.

Aujourd'hui encore, armés de leurs gros gourdins, deux honnêtes citoyens montent la garde devant le mur de Wall, de jour comme de nuit, par roulement de huit heures, l'un à droite, l'autre à gauche de l'ouverture – côté village, bien entendu.

L'essentiel de leur mission consiste à empêcher les enfants de franchir la brèche pour aller batifoler dans la prairie, voire au-delà. Il leur arrive aussi, parfois, de devoir dissuader quelque promeneur égaré ou quelque étranger de passage de satisfaire leur curiosité.

Pour les enfants, point n'est besoin d'artifice : il leur suffit de brandir leur gourdin. Pour ce qui est des promeneurs et des visiteurs, il y faut plus de subtilité. Ils n'utilisent la force qu'en dernier recours, quand leurs histoires de terres fraîchement ensemencées ou de taureau enragé en liberté ne parviennent pas à les décourager.

Rares sont ceux qui se rendent à Wall en sachant ce qu'ils viennent y chercher. Il arrive parfois que certains, parmi eux, soient autorisés à passer. Ils ont tous un petit quelque chose dans les yeux... un petit quelque chose qui, une fois aperçu, ne s'oublie jamais.

Il n'est fait état d'aucune infraction à la règle durant tout le courant du dernier siècle – aucune, du moins, dont les villageois aient eu connaissance. Et ils n'en sont pas peu fiers.

Il y a pourtant une exception. Et c'est une fois tous les neuf ans : le Premier Mai, quand la foire de Wall bat son plein...

Les événements qui vont suivre ont commencé à s'ébruiter il y a fort longtemps déjà. La reine Victoria occupait le trône d'Angleterre. Les joues fraîches et lisses comme des pommes et le pas primesautier, elle n'avait encore rien de la lugubre veuve de Windsor. Il arrivait même que Lord Melbourne la dût gentiment chapitrer pour sa frivolité – et ce n'étaient certes pas les occasions qui manquaient. Bien que, pour lors, toujours demoiselle, elle était déjà fort éprise.

Mr. Charles Dickens écrivait son *Oliver Twist* ; Mr. Draper venait de photographier la lune pour la première fois, immortalisant sa face blême sur papier glacé, et Mr. Morse avait récemment découvert le moyen de transmettre des messages au travers de fils métalliques.

Eussiez-vous eu l'idée saugrenue de leur parler de magie ou du Pays des fées, ils vous auraient tous toisé, un petit sourire condescendant aux lèvres. Tous, sauf peut-être Mr. Dickens qui, levant vers vous de doux yeux rêveurs, vous aurait sans doute regardé avec, sur son visage juvénile qu'aucune auguste barbe ne venait encore ombrer, une expression quelque peu nostalgique.

C'était une véritable invasion, ce printemps-là. Les îles Britanniques étaient prises d'assaut. Ils arrivaient, à l'unité ou par paires ; à Douvres, à Londres ou à Liverpool ; hommes et femmes ; certains aussi pâles que cette feuille, d'autres au teint couleur de lave ou de cannelle, mais tous parlant une multitude de langues différentes. Ils déferlèrent ainsi durant tout le mois d'avril. Certains voyageaient en train à vapeur, d'autres à cheval, en roulotte ou en carriole et beaucoup même, à pied.

À cette époque, Dunstan Thorn avait dix-huit ans et n'était pas ce qu'il est convenu d'appeler un romantique.

Il avait les cheveux bruns, les yeux bruns et les joues constellées d'éphélides assorties. La taille moyenne, le parler lent, il avait aussi un joli sourire – un sourire qui semblait illuminer son visage de l'intérieur – et n'en était pas avare. Et, quand il s'abandonnait à la rêverie dans les champs paternels, il s'imaginait quittant son village natal aux charmes insoupçonnés, pour Londres, Édimbourg ou Dublin, ou quelque autre grande ville où l'on se moque bien de savoir d'où vient le vent. Il travaillait à la ferme de son père et ne possédait rien, hormis un petit cottage niché au fin fond d'un pré que ses parents lui avaient donné.

Or donc, cet avril-là, beaucoup d'étrangers s'en venaient à Wall pour la foire, au grand dam de Dunstan qui ne voyait guère ce déferlement d'un bon œil. L'auberge de Mr. Bromios, la Septième Pie – éternellement déserte, en temps ordinaire –, avait fait le plein, la semaine précédente, et les derniers arrivés en étaient réduits à loger chez l'habitant. Certains payaient avec des pièces bizarres ; d'autres, avec des simples ou des épices et certains même, avec des gemmes.

Un vent d'excitation s'était levé et, plus la foire approchait, plus l'impatience générale grandissait : les gens se levaient de plus en plus tôt, comptaient les jours, les heures, les minutes, et les gardes en faction devant la brèche avaient peine à cacher une croissante nervosité. Des ombres et des formes indistinctes s'agitaient derrière les arbres, à la lisière de la prairie.

À la Septième Pie, la tension commençait à monter entre un dénommé Tommy Forester et un géant aux yeux de braise qui se promenait avec un petit singe sur l'épaule. Étant sortie en compagnie du jeune Forester, au vu et au su de tout le village, l'année précédente, Bridget Comfrey (sans conteste la plus belle fille d'auberge que le monde ait jamais portée – ou, du moins, considérée comme telle) n'y était pas tout à fait étrangère. L'homme ne parlait pas un mot d'anglais, mais ses sourires se passaient de traduction et l'orage menaçait.

Côté comptoir, les conversations allaient bon train. Au coude à coude avec les étrangers de passage – intolérable promiscuité s'il en est –, les habitués devisaient :

— Ça n'arrive qu'une fois tous les neuf ans, disait l'un.

— Il paraît qu'autrefois c'était tous les ans à la Saint-Jean, disait l'autre.

— Demandez à Mr. Bromios. Il vous le dira, lui, tranchait un troisième.

Mr. Bromios était un homme de belle taille. Son teint olivâtre et ses cheveux noirs très frisés soulignaient le vert de ses yeux en amande. Quand les filles du village grandissaient, elles remarquaient Mr. Bromios. Mais Mr. Bromios ne faisait guère attention à elles. On disait qu'il était arrivé, un beau jour, quelques années auparavant : un étranger, en somme. Mais il s'était installé au village et y était resté. Et puis, il avait du bon vin. Les gens du cru l'avaient accepté.

Ce qui devait arriver arriva : l'orage éclata entre Tommy Forester et Alum Bey, puisque tel était apparemment le nom du colosse aux yeux de braise.

— Arrêtez-les ! Au nom du ciel, arrêtez-les ! criait Bridget. Y vont s'étriper pour moi à l'arrière !

Et elle agitait la tête de si gracieuse façon que la lumière des lampes à huile accrochait de jolis copeaux d'or à ses anglaises blondes.

Pour séparer les deux hommes, personne ne leva le petit doigt ; ce qui n'empêcha nullement bon nombre des clients de l'auberge – nouveaux venus et villageois confondus – de sortir dans la cour pour assister au spectacle.

Tommy Forester ôta sa chemise et se mit en garde.

L'étranger s'esclaffa, cracha par terre, puis attrapa Tommy par la main et, le catapultant dans les airs, lui fit mordre la poussière. Tommy se releva péniblement et se rua sur son rival pour lui asséner un fulgurant crochet du droit... avant de se retrouver dans la boue, le souffle coupé, les bras en croix. Alum Bey s'assit sur son dos en riant et dit quelque chose en arabe.

Vite fait, bien fait, le combat était terminé.

Alum Bey se releva et se dirigea d'un pas satisfait vers Bridget Comfrey. Il s'inclina profondément devant elle et lui adressa un sourire éclatant.

Bridget l'ignora et se précipita vers Tommy.

— Mon Dieu ! mais qu'est-ce qu'il t'a fait, mon cœur ? s'exclama-t-elle, en essuyant, d'un coin de tablier, la boue qui maculait le visage de son aimé.

Et de l'abreuver de mots doux.

Alum Bey retourna dans l'auberge avec les spectateurs et, quand Tommy Forester revint, lui offrit une bonne bouteille de chablis de la réserve de Mr. Bromios. Au bout du compte, nul ne savait plus vraiment qui, des deux, l'avait emporté.

Dunstan Thorn n'était pas à la Septième Pie, ce soir-là. Dunstan Thorn était un jeune homme pragmatique qui, depuis plus de six mois, faisait une cour assidue à Daisy Hempstock, une jeune fille tout aussi pragmatique que lui. Quand il faisait doux, ils se promenaient le soir autour du village, en parlant de la théorie de l'assolement, du temps et d'autres sujets non moins passionnants. Lors de ces promenades – durant lesquelles ils étaient invariablement accompagnés par la mère et la sœur cadette de Daisy, qui marchaient à six pas derrière eux –, il leur arrivait, de temps à autre, de se regarder amoureusement.

À la porte des Hempstock, Dunstan s'inclinait, puis prenait congé.

Alors, Daisy Hempstock rentrait chez elle, enlevait son bonnet et disait :

— Je voudrais tant que Mr. Thorn se décide à demander ma main. Je suis persuadée que papa n'en serait point fâché.

— Il n'en serait certainement pas fâché, je peux te l'assurer, répondit, ce soir-là, la bien-aimée maman de Daisy.

Ce soir-là, comme tous les autres soirs.

Puis elle ôta son bonnet et ses gants avant d'escorter ses filles au salon où, assis sur une chaise, un très grand gentleman avec une très longue barbe était occupé à trier le contenu de son sac. Les trois femmes saluèrent l'étranger en lui faisant de petites révérences (l'homme parlait à peine anglais et n'était arrivé que quelques jours plus tôt). Ce dernier se leva pour répondre à leur salut, puis se replongea dans son sac rempli d'objets de bois divers qu'il sortait, triait, astiquait, puis rangeait, avec un soin diligent.

Avril s'était montré particulièrement froid, cette année-là, et capricieux, avec ces brusques sautes d'humeur si typiques du printemps à l'anglaise.

Les visiteurs affluaient, traversant la forêt par la petite route du sud, pour finalement se retrouver : qui, dans la chambre d'ami ; qui, dans la grange ; qui, dans un coin d'étable avec les vaches. Certains plantaient la tente, d'autres arrivaient avec leur roulotte tirée par d'énormes chevaux gris ou de petits poneys à poils longs.

La forêt était tapissée de jacinthes.

Or donc, en cette fraîche matinée du 29 avril, Dunstan Thorn faisait le planton devant le mur, en compagnie de Tommy Forester, l'un à gauche, l'autre à droite de la brèche.

Ce n'était certes pas la première fois que Dunstan montait la garde, mais, jusqu'alors, il s'était plutôt contenté de faire acte de présence, trompant, parfois, son ennui en dispersant quelques chenapans trop curieux quand l'occasion s'en présentait.

Mais, ce jour-là, il se sentait investi d'une grande responsabilité. Il tenait fermement son gourdin et, chaque fois qu'un étranger se présentait, lui disait :

— Demain, demain. Personne ne passe aujourd'hui, mon bon monsieur.

Alors l'étranger s'écartait un peu, lorgnant à la dérobée vers la prairie – bien inoffensive – qu'il apercevait par la brèche, vers les rares arbres – au demeurant, très ordinaires – qui en brisaient l'uniformité et vers la forêt – plutôt quelconque – qui la bordait. Certains tentaient bien de lier conversation avec eux, mais, fiers de leurs éminentes attributions, les jeunes gens redressaient la tête et pinçaient les lèvres, décourageant fermement toute tentative de subornation. En un mot comme en cent, ils faisaient les importants.

À l'heure du déjeuner, Daisy Hempstock leur apporta un petit plat de hachis parmentier qu'elle leur offrit de partager et Bridget Comfrey, deux chopes de bière bien fraîche.

À la tombée de la nuit, deux autres robustes jeunes gens du village armés de lanternes vinrent prendre la relève et Dunstan et Tommy se rendirent de conserve à l'auberge de Mr. Bromios qui leur servit une pinte de sa meilleure bière – appellation plus qu'amplement méritée – pour les récompenser d'avoir monté la garde toute la journée. Un brouhaha vibrant d'exaltation montait de la salle comble. L'auberge était pleine de visages inconnus : des étrangers venus de toutes les nations du monde – telle était, du moins, l'impression de Dunstan qui, passé la lisière de la forêt, perdait toute notion des distances. Aussi regardait-il le grand gentleman en haut-de-forme – tout droit monté de Londres – , assis à la table voisine, avec la même admiration craintive qu'il témoignait au monsieur à la peau d'ébène et à la grande robe blanche en compagnie duquel ce dernier dînait.

Dunstan savait que cela ne se faisait pas de regarder fixement les gens. Et puis, en sa qualité d'habitant du village, n'était-il pas en droit d'éprouver une certaine supériorité vis-à-vis de tous ces « horsins » ? Pourtant, d'étranges parfums d'épices lui chatouillaient les narines, des centaines de mots mystérieux et incompréhensibles lui titillaient les tympans et, bouche bée, il s'en mettait plein les yeux sans la moindre honte.

L'homme au haut-de-forme, qui avait bien remarqué que Dunstan l'observait, lui fit signe d'approcher.

— T'aimes le pudding ? lui demanda-t-il à brûle-pourpoint, en guise de présentation. Mutanabbi m'a faussé compagnie et j'ai là plus de pudding qu'y n'm'en faut. C'est trop pour un seul homme.

Dunstan hocha la tête. Le pudding exhalait une odeur alléchante.

— Eh bien, lui dit son nouvel ami, en lui tendant un bol et une cuillère propres, sers-toi.

Dunstan ne se fit pas prier et attaqua le pudding avec enthousiasme.

— Maint'nant, dis-moi, fiston, reprit le gentleman en haut-de-forme, quand leurs bols et le plat de pudding furent vides, on dirait bien qu'l'auberge n'a plus d'chambre et qu'y a plus un lit d'libre dans tout l'village.

— Vraiment ? fit Dunstan, nullement surpris.

— Vraiment, répondit l'autre. Et j'me d'mandais : tu n'connaîtrais pas une maison où pourrait y avoir encore une petite place pour moi ?

— Tout est loué, maintenant, répondit Dunstan, avec un haussement d'épaules. Je me souviens, quand j'avais neuf ans, ma mère et mon père m'avaient envoyé dormir à l'étable pendant une semaine pour louer ma chambre à une dame venue d'Orient avec sa famille et tous ses domestiques. Elle m'avait donné un cerf-volant pour me remercier et je l'avais fait voler dans la prairie jusqu'à ce que la corde casse et qu'il disparaisse derrière les nuages.

— Et où t'habites, maint'nant ? demanda le gentleman en haut-de-forme.

— J'ai un cottage sur les terres de mon père, tout au bout, répondit Dunstan. C'était là que vivait notre berger. Mais il est mort depuis – ça a fait deux ans à la Saint-Jean – et mes parents me l'ont donné.

— Viens donc me l'montrer, dit le gentleman en haut-de-forme.

Et il ne serait jamais venu à l'esprit à Dunstan de refuser.

La lune était haut dans le ciel et la nuit était claire. Ils traversèrent le village, puis empruntèrent le sentier qui descendait vers la forêt et marchèrent d'une seule traite jusqu'à la chaumière de Dunstan, passant en chemin devant la ferme des Thorn (où le gentleman en haut-de-forme se laissa surprendre par le ronflement d'une vache qui dormait dans le pré).

La maisonnette n'avait qu'une seule pièce avec une cheminée. L'étranger hocha la tête.

— Ça m'convient bien, dit-il. Allez, Dunstan Thorn, j'te la loue pour les trois jours prochains.

— Qu'est-ce que vous allez me donner en échange ?

— Un souverain d'or, un six pence d'argent, un penny d'cuivre et un beau farthing tout neuf.

Bigre ! un souverain pour deux nuits, c'était un loyer plus qu'honnête en des temps où un ouvrier agricole ne pouvait guère espérer se faire plus de quinze livres par an. Et encore ! les bonnes années ! Pourtant, Dunstan hésitait.

— Si c'est pour la foire que vous venez, rétorqua-t-il, c'est donc que vous avez des miracles et des merveilles à vendre.

L'homme hocha la tête.

— Tiens donc ! c'est après les miracles et les merveilles que t'en as, hein ?

Il jeta un regard circulaire. Il se mit alors à pleuvoir : juste un petit clapotis sur le chaume, au-dessus de leurs têtes.

— Oh ! bon d'accord, fit-il d'un ton un tantinet agacé. Va pour un miracle et une merveille. Demain, tu trouveras l'Élue de ton Cœur. Et, maint'nant, voilà ton argent, ajouta-t-il, en sortant les pièces de l'oreille de Dunstan avec un surprenant naturel.

Dunstan frotta les pièces sur le clou de la porte, pour vérifier qu'il ne s'agissait pas d'argent de perlimpinpin, puis il sortit son mouchoir de sa poche, y mit les pièces et le noua avant de le remettre en place. Enfin, saluant le grand gentleman en haut-de-forme d'une profonde révérence, il s'éloigna sous la pluie pour se rendre à l'étable. Là, il grimpa sans tarder dans le grenier à foin et s'endormit aussitôt.

Il lui sembla bien entendre le tonnerre gronder dans la nuit, sans pourtant s'éveiller. Au petit matin, il fut tiré du sommeil par quelqu'un qui trébuchait sur son pied.

— Zut ! fit une voix. J'veux dire, 'scuse-moi.

— Qui va là ? Qui c'est ? bredouilla Dunstan.

— C'n'est qu'moi, dit la voix. J'viens pour la foire. J'm'étais réfugié dans un arbre creux pour la nuit, mais la foudre lui est tombée d'ssus et l'a cassé comme une coquille d'œuf et écrasé comme une brindille et la pluie m'tombait dans l'cou et elle allait tomber dans mes bagages et comme y a là-d'dans des choses qu'y faut qu'y restent secs comme un coup de trique et qu'j'ai toujours réussi à bien les garder à l'abri comme oiseau au nid pendant tous mes voyages jusqu'ici alors que c'était humide comme...

— De l'eau ? suggéra Dunstan.

— Tout, acheva la voix dans le noir. Alors j'me d'mandais si ça t'embêterait pas que j'reste sous ton toit, vu que j'suis pas très gros et que j'te dérangerais pas ni rien.

— Évitez juste de me marcher dessus, soupira Dunstan.

C'est alors qu'à la faveur d'un éclair, Dunstan aperçut, dans un coin, quelque chose de petit et de velu coiffé d'un grand chapeau à bords flottants. Puis ce fut de nouveau le noir complet.

— J'espère que j'dérange pas, reprit la voix qui avait assurément un petit côté velu, à y regarder de plus près.

— Non, non, grommela Dunstan, qui tombait de sommeil.

— Tant mieux, dit la voix velue, pasque j'voudrais surtout pas déranger.

— S'il vous plaît, laissez-moi dormir ! supplia Dunstan. Par pitié !

Il y eut un reniflement auquel succéda un léger ronflement.

Dunstan se retourna dans le foin. Le visiteur impromptu, qui ou quoi qu'il fût, péta, se gratta, puis se remit à ronfler.

Dunstan écouta un moment la pluie tomber sur le toit et songea à Daisy Hempstock. Dans ses pensées, ils cheminaient côte à côte et, à six pas derrière eux, marchaient un grand gentleman en haut-de-forme et une petite créature velue dont Dunstan ne parvenait pas à voir la figure. Ils allaient voir l'Élue de son Cœur...

Il avait le soleil dans les yeux et l'étable était vide. Il fit une toilette rapide et monta à la ferme.

Là, il enfila sa chemise du dimanche, sa culotte du dimanche, sa veste du dimanche, ôta la boue de ses chaussures avec son canif, puis alla dans la cuisine embrasser sa mère et se servir quelques belles tranches de pain croustillant qu'il tartina généreusement de beurre tout frais baratté.

Ensuite, ses économies serrées dans son beau mouchoir de batiste, il se rendit au village saluer les gardes en faction.

Par la brèche, il apercevait les tentes multicolores que l'on montait, les stands que l'on dressait, les oriflammes flamboyantes que l'on hissait et les gens qui allaient et venaient.

— On ne peut laisser passer personne avant midi, lui dit l'une des sentinelles.

Dunstan haussa les épaules et s'en fut à l'auberge. Il se demandait ce qu'il allait bien pouvoir acheter avec ses économies (la rutilante demi-couronne qu'il avait mise de côté et son six pence porte-bonheur – avec un trou au milieu – qu'il portait sur un lacet de cuir attaché à son cou) sans même parler des pièces qu'il conservait si précieusement dans son beau mouchoir blanc. Il avait déjà tout oublié de la promesse faite la veille au soir. À midi tapant, Dunstan se tenait devant la brèche, et ce ne fut pas sans une certaine nervosité et le sentiment de transgresser le plus intransgressable des tabous qu'il la franchit, aux côtés du gentleman en haut-de-forme qu'il n'avait pas vu arriver et qui s'avançait au même moment.

— Ah ! mon logeur ! s'exclama ce dernier en le saluant. Comment va aujourd'hui ?

— Très bien, répondit Dunstan.

— Viens donc avec moi, lui dit l'autre. Marchons de conserve. Tu m'tiendras compagnie.

Ils traversèrent la prairie en direction des tentes.

— Tu es déjà v'nu ? reprit le grand gentleman en haut-de-forme.

— Je suis allé à la dernière foire, il y a neuf ans. Mais j'étais encore un gamin.

— Bon, lui dit son locataire. Alors, rappelle-toi bien : tu n'dois accepter d'cadeau d'personne. Mais reste poli. T'es qu'un invité, n'oublie jamais ça. Et, maint'nant, j'dois m'acquitter d'la part d'loyer que j't'e dois encore. Car j't'ai donné ma parole, hier. Et mes cadeaux durent longtemps. Toi et ton premier-né et son premier-né après lui... C'est un cadeau qui durera aussi longtemps que j'vivrai.

— Et qu'est-ce donc que ce cadeau, monsieur ?

— Mais, l'Élue de ton Cœur, voyons ! Tu n'te souviens donc pas ? L'Élue de ton Cœur.

Dunstan s'inclina et ils se remirent en marche vers la foire.

— Des yeux ! Des yeux ! Des yeux neufs pour des vieux ! s'époumonait une toute petite bonne femme devant une table encombrée de fioles et de bouteilles de verre remplies d'yeux de toutes les couleurs.

— Instruments de musique du monde entier ! Fifres, guimbardes, crécelles !

— Hymne ! Hymne ! Hymne à l'amour, à la vie, à la joie ! Sifflé pour un sou ! Fredonné pour deux sous ! Chanté pour trois sous !

— Tentez votre chance ! Entrez dans la danse ! Résolvez l'énigme et emportez la fleur de vent !

— Draps de lavande ! Nappes de jacinthe ! Rideaux de rose !

— Rêves en bouteille ! Rêves en bouteille ! Un shilling la pièce !

— Manteaux de ténèbres ! Manteaux de clair de lune ! Manteaux de soleil !

— Épées de richesse ! Baguettes de pouvoir ! Anneaux d'immortalité ! Cartes de chance ! Approchez ! Approchez ! Par ici, Gentes Dames et Doux Seigneurs !

— Baumes et onguents, filtres et panacées !

Dunstan arrêta ses pas devant un étal de minuscules bibelots de cristal. Il examina les animaux miniatures. Il hésitait à en acheter un pour Daisy Hempstock. Il prit un petit chat, guère plus grand que le pouce. Le chat de cristal battit des paupières en le regardant. Saisi, Dunstan le laissa tomber. Le chat se rétablit en un clin d'œil, comme un véritable chat, et retomba souplement sur ses pattes. Il se dirigea alors vers un coin de l'étal et se mit à sa toilette.

Dunstan passa son chemin et reprit sa déambulation à travers la cohue de la foire.

À croire que le monde entier s'y pressait. Tous les étrangers arrivés à Wall les semaines précédentes étaient là, sans compter les villageois eux-mêmes. Mr. Bromios avait installé une buvette et vendait des bouteilles de vin et des gâteaux aux gens du village, souvent tentés par la nourriture vendue par Ceux-d'Outre-Mur, mais qui s'étaient entendu dire par leurs grands-parents – qui le tenaient de leurs propres grands-parents – qu'il ne fallait jamais, au grand jamais, goûter à la nourriture des fées, manger les fruits des fées, boire l'eau des fées, ni même tremper les lèvres dans le vin des fées.

Car, tous les neuf ans, Ceux-d'Outre-Mur dressaient leurs stands et, pendant un jour et une nuit, la prairie accueillait la Foire des Fées. Ainsi, un jour et une nuit durant, tous les neuf ans, les deux mondes commerçaient-ils l'un avec l'autre.

Il y avait alors des merveilles, des prodiges et des miracles à vendre, de ces choses dont nul n'oserait rêver et qui dépassent l'imagination la plus débridée (*Que peut-on donc bien faire de tempêtes dans une coquille d'œuf*? se demandait Dunstan). Il faisait sauter ses pièces dans sa poche, tout en cherchant quelque chose qui ne fût ni trop gros ni trop cher et qui pourrait amuser Daisy.

Il entendit soudain une sorte de carillon dont les notes s'égrenaient doucement et qui parvenait, pourtant, à couvrir le brouhaha de la foire. Il se laissa guider par cette étrange mélodie.

Il passa devant une estrade où cinq colosses dansaient au son d'un orgue de Barbarie que faisait tourner un ours noir. L'air était sinistre et l'ours faisait une tête d'enterrement. Puis il passa devant un stand où un homme chauve, vêtu d'un kimono chatoyant, cassait des assiettes de porcelaine dont il enfournait les morceaux dans un chaudron exhalant des volutes de fumées multicolores, le tout sans cesser d'appâter, à grands cris, le chaland.

Le tintement du carillon devenait de plus en plus fort.

En arrivant devant le stand d'où semblait s'élever la mélodieuse musique, il ne trouva personne. L'étal était couvert de fleurs : de jacinthes, de digitales, de campanules et de jonquilles, mais aussi de violettes, de lys, de minuscules églantines écarlates, de pâles perce-neige, de bleus myosotis et d'une profusion d'autres fleurs dont Dunstan ignorait le nom. Chaque fleur était de verre ou de cristal. Tourné ? sculpté ? Il n'aurait su dire tant elles imitaient leur modèle à la perfection. C'étaient elles qui tintinnabulaient comme de minuscules et lointaines clochettes.

— Hello ? cria Dunstan.

— Le bon jour, Messire, en cette belle journée de foire, fit la marchande, en descendant de sa roulotte rangée derrière le stand.

Un large sourire découvrait ses dents blanches qui accentuaient le hâle naturel de son teint olivâtre.

C'était une de Ceux-d'Outre-Mur. Cela se voyait à ses yeux et à ses oreilles qu'il apercevait sous ses ondulants cheveux noirs. Ses prunelles violettes ressemblaient à des améthystes et ses oreilles, ombrées d'un fin duvet noir, à celles d'un chat – en un peu plus rondes, peut-être. Elle était d'une grande beauté.

Dunstan prit une fleur sur l'étal.

— Elle est très jolie, dit-il.

C'était une violette et elle chantait dans sa main en produisant un son semblable à celui que l'on obtient en passant son doigt mouillé sur le bord d'un verre.

— Combien vaut-elle ?

La marchande haussa les épaules. Dunstan ignorait, jusqu'alors, qu'on pût hausser les épaules de si gracieuse façon.

— Le prix ne se discute pas de prime abord, Messire, lui dit-elle. Il se pourrait qu'elle vaille beaucoup plus que vous ne pourriez payer. Alors vous partiriez et ni vous ni moi n'y gagnerions rien. Parlons plutôt de la marchandise de façon plus générale.

Dunstan hésitait. C'est à ce moment-là qu'apparut le grand gentleman avec son beau haut-de-forme de soie noire.

— Et voilà, murmura celui-ci. Mon loyer est entièrement payé et j'n'ai plus d'dette envers toi.

Dunstan secoua la tête, comme pour chasser un mauvais rêve, et se tourna de nouveau vers la jeune fille.

— Alors, d'où viennent-elles donc, ces fleurs ? demanda-t-il.

La jeune fille lui sourit d'un air entendu.

— Sur les flancs du mont Calamon, pousse un parterre de fleurs de verre. Y aller n'est pas sans danger. En revenir est un enfer.

— Et à quoi servent-elles ?

— Ces fleurs ont une fonction purement décorative et récréative : elles font plaisir. Elles peuvent être offertes à quelqu'un de cher en gage d'affection et d'admiration et les sons qu'elles émettent charment agréablement l'oreille. Elles accrochent aussi merveilleusement la lumière.

Elle se saisit d'une jacinthe qu'elle fit miroiter au soleil. Mais Dunstan ne parut guère convaincu : force lui fut de constater que ni la couleur ni l'éclat du cristal mauve ne parvenaient à égaler ceux des améthystes qui l'examinaient.

— Je vois, fit-il.

— Elles entrent également dans la composition de certains sorts et autres enchantements. Si Messire est magicien...

Dunstan secoua la tête. *Cette fille a quelque chose d'étrange*, songeait-il.

— Las ! Elles n'en demeurent pas moins ravissantes, insista-t-elle.

Et de lui adresser son plus charmant sourire.

L'étrangeté de la belle tenait à cette fine chaîne d'argent qui lui entourait le poignet et la cheville, puis courait dans l'herbe jusqu'à la roulotte, derrière le stand.

Dunstan ne put tenir sa langue.

— La chaîne ? fit la damoiselle. Elle m'attelle à ma tâche. Je suis l'esclave attitrée de la sorcière qui possède cette échoppe. Elle m'a capturée, il y a bien longtemps de cela, alors que je jouais près des chutes, sur les terres de mon père, là-haut, dans la montagne. Elle avait pris la forme d'une grenouille qui, sautant de loin en loin, et toujours à deux doigts de se faire attraper, m'attira tant et si bien que je quittai les terres de mon père, écervelée que j'étais. C'est alors qu'elle reprit sa forme ordinaire et me jeta dans un sac.

— Et vous êtes son esclave pour toujours ?

— Non, pas pour toujours, répondit la jeune fille, en souriant. Je reprendrai ma liberté le jour où la lune perdra sa fille, pour peu que cela soit durant la semaine des deux lundis. J'attends ce jour avec impatience. Mais, pour lors, je fais ce que l'on m'ordonne et me contente de rêver. Voulez-vous m'acheter une fleur, maintenant, mon doux seigneur ?

— Je m'appelle Dunstan.

— Ce serait dommage de cacher un aussi joli nom, assurément ! Où sont vos tenailles, Messire Dunstan ? railla-t-elle, avec un petit sourire moqueur citant la fameuse comptine anglaise. Attraperez-vous le Diable par le nez ?

— Et quel est le vôtre ? demanda Dunstan, qui s'était violemment empourpré.

— Je n'ai plus de nom. Je suis une esclave et le nom que je portais m'a été confisqué. Je réponds à « Eh toi ! » ou à « Holà, godiche ! » ou à « Viens là, sale souillon ! » et à bien d'autres imprécations.

Dunstan remarqua alors à quel point l'étoffe soyeuse de sa robe épousait ses formes – qu'elle avait fort gracieuses. Il sentit son regard violet posé sur lui et déglutit avec peine.

Incapable de la regarder plus longtemps, il glissa la main dans sa poche, sortit précipitamment son mouchoir et fit tomber ses pièces sur la table.

— Tenez, payez-vous, dit-il, en cueillant au hasard un étincelant perce-neige.

— Nous ne prenons pas d'argent à ce stand, déclara la belle, en repoussant les pièces.

— Ah non ? Qu'est-ce que vous voulez, alors ?

Pour le moins agité, Dunstan était, à présent, bien pressé de rentrer. Il ne voulait rien d'autre qu'obtenir une fleur pour... pour Daisy... Daisy Hempstock... prendre sa fleur et s'en aller, car, à la vérité, la jeune fille le troublait plus qu'il ne voulait se l'avouer.

— Je pourrais vous prendre la couleur de vos cheveux, répondit-elle. Ou tous les souvenirs que vous avez gardés de votre enfance avant trois ans. Je pourrais vous prendre l'ouïe de votre oreille gauche ; pas tout, juste assez pour que vous ne puissiez plus apprécier la musique, ni entendre chanter l'eau d'un ruisseau, ni le vent soupirer dans les feuilles...

Dunstan secoua la tête.

— ... ou un baiser. Un baiser, juste ici, sur ma joue.

— Ça, je le donnerai bien volontiers, fit Dunstan, en liant le geste à la parole.

Il se pencha par-dessus la table et, dans le tintinnabulement des fleurs de cristal, planta un baiser sur la joue satinée de la damoiselle.

C'est alors qu'il sentit son parfum, un parfum enivrant, ensorcelant, qui lui monta à la tête, lui fit battre le cœur et le pénétra jusqu'à l'âme.

— Voilà, dit-elle, en lui tendant le perce-neige.

Il lui prit la fleur des mains – les siennes lui parurent soudain énormes et bien maladroites, comparées à celles, délicates et parfaites, de la jolie marchande.

— À ce soir. Car je te reverrai cette nuit, Dunstan Thorn, lui murmura-t-elle à l'oreille. Quand la lune se couchera, reviens ici et imite le cri de la chevêche. Sauras-tu faire cela ?

Dunstan hocha la tête et s'éloigna d'un pas chancelant. Il ne lui demanda pas comment elle connaissait son nom. Il le savait déjà : elle le lui avait pris quand il l'avait embrassée, entre autres choses, comme son cœur, par exemple...

— Juste ciel ! Dunstan Thorn ! s'exclama Daisy Hempstock, en avisant le jeune homme qui s'approchait de la buvette de Mr. Bromios, où elle était attablée avec toute sa famille, occupée à manger des saucisses et à boire de la bière en compagnie des parents de Dunstan. Mais que vous est-il donc arrivé ?

— Je... je vous ai apporté un cadeau, balbutia Dunstan, en lui brandissant sa fleur de cristal sous le nez.

La fleur scintilla au soleil et tintinnabula doucement. Intriguée, Daisy tendit la main. À peine ses doigts tout luisants de graisse se saisissaient-ils du perce-neige que Dunstan se penchait vers elle et, devant la mère de Daisy, devant le père de Daisy, devant la sœur de Daisy, devant Bridget Comfrey, devant Mr. Bromios, autrement dit : devant tout le monde, déposait un chaste baiser sur sa joue fraîche et rose.

La réaction ne se fit pas attendre : ce fut un tollé général. Mais Mr. Hempstock, qui n'avait pas passé les cinquante-sept années de sa vie à la frontière du Pays des fées et des Terres d'Outre-Mur pour rien, s'écria :

— Taisez-vous ! Regardez donc ses yeux. Ne voyez-vous pas que le pauvre garçon n'a plus toute sa tête ? Je parie qu'on lui a jeté un sort. Holà ! Tommy Forester ! Viens par ici ! Ramène donc notre jeune ami au village et garde-le à l'œil. Laisse-le dormir, s'il a sommeil, ou écoute-le, si tu sens qu'il a besoin de parler.

Tommy entraîna donc Dunstan vers la brèche.

— Allons, allons, Daisy, chuchotait Mrs. Hempstock, en caressant tendrement les cheveux de son aînée. Ce n'est sans doute qu'un petit enchantement de rien du tout. Pas de quoi se mettre dans des états pareils.

Et, tirant un mouchoir de dentelle de son sein généreux, elle entreprit de tapoter les joues de sa fille qui avait fondu en larmes.

Daisy leva les yeux vers sa mère, prit le mouchoir, se moucha, puis le replia pour s'en tamponner le nez.

Mrs. Hempstock s'aperçut alors, non sans une certaine perplexité, que Daisy souriait à travers ses larmes.

— Mais, Mère, Dunstan m'a... embrassée ! s'exclama la jeune fille dans un murmure extatique, avant d'agrafer à son bonnet le perce-neige de cristal qui, accrochant les rayons du soleil, tintinnabulait de plus belle.

Après l'avoir longtemps cherché en vain, Mr. Hempstock et Mr. Thorn réussirent enfin à trouver le stand où se vendaient les fleurs de cristal. Il était tenu par une vieille femme qui semblait en grands conciliabules avec un magnifique oiseau exotique attaché à son perchoir par une longue et fine chaîne d'argent. Mais ils eurent beau la questionner, impossible d'obtenir d'elle la moindre information au sujet de Dunstan. Elle ne cessait de répéter qu'elle avait « perdu la plus belle pièce de sa collection à cause de cette propre à rien ». Et d'enchaîner : « Si c'est pas malheureux pareille ingratitude ! Ah ! triste époque que ces temps modernes ! On peut même plus s'faire servir correctement ! »

À travers le village dépeuplé (qui aurait seulement songé à rester au village le jour de la Foire des Fées ?), Tommy Forester conduisit donc Dunstan Thorn à la Septième Pie. Là, il lui avança un banc à haut dossier et le fit asseoir. Le regard perdu on ne sait où, Dunstan s'accouda à la table et se prit la tête entre les mains, en poussant des soupirs à fendre l'âme.

Tommy Forester tenta bien de lui faire la conversation (« Allons, mon vieux, secoue-toi un peu ! Voilà, c'est ça. Un petit sourire ? À la bonne heure ! Et qu'est-ce que tu dirais de manger un morceau, hein ? Ou de boire une bonne petite bière, peut-être ? Non ? Ma parole ! Mais c'est vrai que tu as l'air bizarre, mon pauvre vieux ! »), mais, n'obtenant aucune réponse, le brave garçon commença bientôt à perdre patience. Il avait hâte de retourner à la foire où, à l'instant même, se disait-il, en se caressant le menton, la jolie Bridget se faisait sans doute escorter par quelque colosse à la mise aussi exotique que le petit singe bavard juché sur son épaule. Aussi, s'étant aisément convaincu que son ami ne risquait rien dans l'auberge déserte, Tommy Forester rebroussa-t-il chemin pour franchir le mur en sens inverse.

En rejoignant la foire, Tommy fut saisi par l'incroyable remue-ménage qui y régnait. C'était un véritable capharnaüm où jongleurs, marionnettistes, dresseurs d'animaux, maquignons, marchands et chalands se côtoyaient dans une débauche de couleurs et de bruits. Ici, tout se vendait, s'échangeait, se troquait.

Avec l'approche du crépuscule, d'autres acteurs entraient en scène. Il y avait là un héraut qui criait les nouvelles comme un journal moderne imprime ses gros titres : « Le Maître de Stormhold frappé d'une Mystérieuse Maladie ! », « La Colline de Feu file à la Vitesse des Dunes ! », « L'Unique Héritier du Seigneur de Garamond changé en Porc Puant ! »... et qui, pour quelques piécettes, se faisait un plaisir de s'étendre sur le sujet.

Le soleil se coucha ; une grosse lune printanière apparut et une petite brise fraîche se leva. Tandis que les marchands se retiraient sous leurs tentes, d'étranges murmures commençaient à caresser l'oreille des badauds, leur promettant leur part d'innombrables merveilles... pour peu qu'ils y mettent le prix.

La lune poursuivait sa course vers l'horizon et Dunstan Thorn foulait à pas lents les pavés des rues de Wall. Il croisa bien quelques joyeux drilles de retour de la foire – des étrangers tout autant que des villageois – mais rares furent ceux qui le remarquèrent.

Il se faufila sans bruit par la brèche. *Épais, ce mur*, constata-t-il en le franchissant.

Et Dunstan Thorn de se demander, comme son père avant lui, ce qu'il adviendrait s'il grimpait là-haut, marchait sur le mur et le suivait jusqu'au bout...

D'abord, la brèche, puis la prairie... et, cette nuit-là, pour la première fois de sa vie, Dunstan se surprit à nourrir de bien étranges pensées : *Et pourquoi ne pas continuer ?* se disait-il. *Pourquoi ne pas traverser la rivière, puis le rideau d'arbres et se fondre dans les futaies au-delà ?*... Il accueillit ces idées avec l'embarras de qui reçoit des invités impromptus, puis, ayant atteint son but, les repoussa, comme on congédie ces visiteurs importuns en prétextant un précédent engagement.

La lune se couchait.

Plaçant ses mains en porte-voix, Dunstan hulula. Pas de réponse. Au-dessus de sa tête, le ciel s'était paré d'un beau brocart sombre, bleu, peut-être, ou mauve – pas noir, en tout cas –, et pailleté de plus d'étoiles que l'œil n'en pouvait voir.

Il hulula de nouveau.

— Ça, souffla une voix sévère à son oreille, ça n'a rien d'une chouette chevêche. Ce pourrait être un harfang des neiges, à la rigueur, ou même une effraie. Si j'avais les oreilles bouchées, peut-être pourrais-je croire qu'il s'agit d'un grand duc. Mais ce n'est certainement pas une chevêche.

Dunstan haussa les épaules en souriant bêtement. La fille du Pays des fées s'assit à côté de lui. Il tressaillit. Elle l'enivrait : il la respirait, la sentait par tous les pores de sa peau. Elle s'approcha, tout près.

— Crois-tu que je t'ai jeté un sort, charmant Dunstan ?

— Je ne sais pas.

Elle rit, et son rire chantait comme l'eau d'un ruisseau qui court entre les rochers.

— Mais non, je ne t'ai pas ensorcelé. Non, non, non, joli garçon.

Elle rit encore, puis s'allongea dans l'herbe pour regarder le ciel.

— Et tes étoiles à toi, comment sont-elles ? lui demanda la jouvencelle.

Dunstan s'étendit auprès d'elle et observa le ciel. Elles avaient assurément quelque chose de bizarre, ces étoiles : était-ce parce qu'elles brillaient de mille feux, comme de minuscules joyaux multicolores ? Peut-être était-ce leur nombre, la disposition des constellations ?... Oui, il y avait vraiment quelque chose d'étrange et de merveilleux dans ces étoiles-là...

Ils étaient couchés dans l'herbe, côte à côte, à contempler le firmament.

— Qu'attends-tu de la vie ? s'enquit l'ensorcelante damoiselle.

— Je ne sais pas, reconnut-il.

— Quel est ton plus cher désir ? insista-t-elle.

— Vous, je crois.

— Moi, je veux recouvrer ma liberté.

Dunstan se saisit alors de la chaîne qui lui entravait le poignet et tira dessus de toutes ses forces. Mais elle était plus solide qu'il n'y paraissait.

— Alliage de souffle de chat, d'écailles de poisson, de clair de lune et d'argent, lui précisa la belle. Indestructible tant que le sort n'est pas rompu.

— Oh ! fit Dunstan, en reprenant sa place auprès d'elle.

— Je ne devrais pas me plaindre : elle est très très longue. Mais le seul fait de me savoir prisonnière me révolte. Je me languis du pays de mon père, aussi. Et puis, la sorcière n'est pas la meilleure des maîtresses...

Comme elle s'était tue, Dunstan se pencha au-dessus d'elle pour lui caresser la joue et sentit quelque chose de mouillé et de chaud sur sa main.

— Mais, vous pleurez !

Elle ne répondit pas. Dunstan l'attira alors contre lui, en essuyant vainement ses joues de sa grosse main maladroite. Puis, il lui prit le menton, leva vers lui son visage en pleurs et, timidement, ne sachant trop s'il faisait ce qu'il fallait faire en pareilles circonstances, il l'embrassa, là, en plein sur la bouche.

Elle eut comme une hésitation, puis entrouvrit les lèvres et glissa sa langue entre les siennes. C'est alors que, sous le firmament étoilé du Pays des fées, Dunstan Thorn fut complètement et irrémédiablement perdu.

Il avait déjà embrassé des filles, au village, mais il n'était jamais allé plus loin.

Sa paume épousa la courbe d'un sein sous la soie de sa robe. Ses doigts frôlèrent les boutons de rose qui saillaient sous l'étoffe. Elle se cramponna à lui, comme si sa vie en dépendait, et commença à se débattre avec sa chemise et ses grègues.

Elle était si menue. Il avait peur de lui faire mal. Il avait peur de la casser. Mais elle se démenait, se tortillait sous lui, haletante et fougueuse, le guidant de la main.

Elle lui couvrit le visage et le torse de centaines de baisers ardents puis, tout à coup, elle fut sur lui, le chevauchant, pantelante et rieuse, en sueur, aussi insaisissable qu'une anguille. Alors il se cambra, donnant des coups de reins, exultant, la tête pleine d'elle. Oui, il n'y avait plus qu'elle, rien qu'elle et, s'il avait su son nom, il l'aurait crié jusques aux cieux sur tous les tons.

À la fin, il se serait retiré, mais elle le retint en elle, nouant ses jambes autour de lui, et s'unissant à lui avec une telle force qu'elle et lui ne faisaient plus qu'un avec l'univers ; comme si, pour un instant, un instant magique, d'une magie puissante et bouleversante, ils n'étaient plus qu'une seule et même personne, donnant et recevant à la fois, tandis que, là-haut, déjà, les étoiles pâlissaient.

Ils demeurèrent longtemps allongés côte à côte.

Puis la fille du Pays des fées rajusta sa robe de soie et fut de nouveau décemment couverte. Dunstan remonta ses grègues à contrecœur, lui prit la main et la serra dans la sienne.

La sueur séchait sur sa peau. Il avait froid et se sentait soudain horriblement seul.

Il pouvait mieux la voir, maintenant que la nuit s'éloignait. Autour d'eux, les animaux s'agitaient : les chevaux piaffaient, les oiseaux s'éveillaient pour célébrer de leurs trilles la prochaine apparition du soleil et, çà et là, à travers la prairie, les occupants des tentes recommençaient à s'affairer.

— Sauve-toi, à présent, lui murmura-t-elle, une lueur de regret dans les yeux.

L'éclat violine de ses prunelles semblait refléter celui des nuages qui flottaient, tout là-haut, dans le ciel de l'aube.

Puis elle l'embrassa, doucement, avec, sur les lèvres, un goût de groseilles écrasées, et se leva pour rentrer dans la roulotte de bois peint, derrière le stand.

Étourdi et esseulé, Dunstan traversa le champ de foire. Il se sentait soudain bien vieux pour ses dix-huit ans.

Il retourna dans la grange, enleva ses bottes et s'endormit. Quand il se réveilla, le soleil était déjà haut dans le ciel.

Le lendemain, la foire achevée, les étrangers quittèrent le village et la vie à Wall reprit son cours normal – un cours peut-être un peu moins normal que dans les autres villages (surtout quand le vent soufflait de la mauvaise direction) mais, réflexion faite, relativement normal tout de même.

Deux semaines plus tard, Tommy Forester demandait Bridget Comfrey en mariage et Bridget Comfrey acceptait. Et, un beau matin, la semaine suivante, Mrs. Hempstock rendit visite à Mrs. Thorn. Elles prenaient le thé au salon.

— Quelle chance pour le petit Forester ! disait Mrs. Hempstock.

— C'est bien vrai, disait Mrs. Thorn. Un autre biscuit, ma chère ? Votre Daisy sera demoiselle d'honneur, je suppose.

— Je l'espère bien, répondit Mrs. Hempstock. Si elle est encore de ce monde...

Mrs. Thorn faillit en lâcher la théière.

— Juste ciel ! Elle n'est pas malade, au moins ? Rassurez-moi, Mrs. Hempstock. Dites-moi que je me trompe.

— Elle ne mange plus, Mrs. Thorn. Elle dépérit. Oh ! Elle boit bien un peu d'eau de temps en temps...

— Oh ! Mon Dieu !

— J'ai finalement découvert la cause de son malheur, hier soir, poursuivit Mrs. Hempstock. C'est votre Dunstan.

— Dunstan ? Il ne l'a pas... s'écria Mrs. Thorn, en portant la main à ses lèvres.

— Oh non ! l'interrompit aussitôt Mrs. Hempstock, en secouant la tête, avec une moue offusquée. Rien de tel, Mrs. Thorn. Mais il l'ignore : cela fait des jours entiers qu'elle ne l'a pas vu. Elle s'est mis en tête qu'il ne s'intéressait plus à elle. Et voilà la pauvresse qui passe son temps à sangloter en serrant contre son cœur le perce-neige qu'il lui a donné.

Mrs. Thorn ajouta quelques mesures de thé dans la théière et la remplit d'eau bouillante.

— Pour ne rien vous cacher, reconnut-elle, nous sommes un peu inquiets au sujet de Dunstan, Mr. Thorn et moi. Il est constamment dans la lune, il n'y a pas d'autre mot. Il ne travaille plus. Mr. Thorn me disait encore, l'autre jour : « Ce qu'il lui faudrait, à ce garçon, c'est se fixer. Si seulement il se décidait à s'installer, eh bien mais, me disait Mr. Thorn, je serais d'accord pour lui donner quelques bons hectares, au petit. Toutes les Prairies de l'Ouest lui reviendraient. »

Mrs. Hempstock hocha lentement la tête.

— Mr. Hempstock ne serait certainement pas le dernier à vouloir le bonheur de notre petite Daisy. Sûr qu'il serait d'accord pour mettre un honnête troupeau de nos bêtes dans la corbeille de mariage...

La réputation des moutons des Hempstock n'était plus à faire : avec leur longue laine bien épaisse et leur intelligence hors pair (pour des moutons), leurs belles cornes recourbées et leurs solides sabots, il n'y en avait pas de meilleurs à des lieues à la ronde. Mrs. Hempstock et Mrs. Thorn sirotèrent leur thé en silence.

Ainsi le marché fut-il conclu.

Dunstan Thorn épousa Daisy Hempstock en juin. Et, si le marié semblait bien un tantinet distrait, la jeune mariée était aussi jolie et resplendissante que la plus resplendissante des jeunes mariées.

Derrière le jeune couple, les beaux-pères discutaient des plans de la ferme qu'ils lui construiraient dans les Prairies de l'Ouest. Les belles-mères ne cessaient de surenchérir sur la beauté de Daisy et de déplorer, d'une même voix, que Dunstan ait empêché Daisy de porter le perce-neige qu'il lui avait offert à la foire, sur sa robe de mariée.

Et c'est ici que nous allons les quitter, sous une pluie de pétales de rose, rouges, jaunes, roses et blancs.

Ou presque.

Ils vécurent dans le cottage de Dunstan, le temps que leur ferme soit bâtie, et, ma foi, furent heureux autant qu'on puisse l'être. Et, à force d'élever les moutons, d'emmener paître les moutons, de tondre les moutons, de nourrir les moutons, enfin de s'occuper des moutons, jour après jour, de l'aube au crépuscule, peu à peu, dans les prunelles de Dunstan, le petit regard flou disparut.

Vint l'automne, puis l'hiver. Ce fut à la fin de février, en pleine saison de l'agnelage, dans le froid, sous les assauts d'un méchant vent du nord hurlant sur les landes et les trombes d'eau glacée tombant d'un ciel de plomb, à six heures du soir, quand le soleil se fut couché et que l'obscurité eut envahi les cieux, qu'un panier d'osier fut poussé de l'autre côté du mur. Au début, les deux sentinelles en faction n'y prirent pas garde. Après tout, elles regardaient dans la mauvaise direction ; il faisait sombre et froid et humide, et elles étaient trop occupées à piétiner pour se réchauffer, en lorgnant vers les lumières du village d'un œil à la fois morne et envieux.

Soudain, un cri s'éleva, un cri strident et redoutablement insistant.

C'est alors que les deux gardes découvrirent le panier posé à leurs pieds. Il y avait une sorte de ballot à l'intérieur, un ballot de soie et de couvertures de laine au sommet duquel émergeait une petite tête braillante et cramoisie, avec des yeux perçants et une bouche béante, hurlante et affamée.

Et, là, attaché aux couvertures du bébé avec une épingle d'argent, il y avait un bout de parchemin sur lequel était écrit, dans une calligraphie élégante, quoiqu'un peu surannée, les mots suivants :

Tristan THORN

Chapitre
deux

Comment Tristan Thorn grandit jusqu'à l'âge
d'homme et fait une bien imprudente promesse.

Les années passèrent.

Fidèle au rendez-vous, la Foire des Fées ouvrit ses portes à l'heure dite. Envoyé, avec armes et bagages, auprès de parents pour le moins éloignés, dans un hameau perdu à plus d'un jour de chevauchée de Wall, le jeune Tristan Thorn, âgé alors de huit ans, ne fut pas de la fête.

Quoique de six mois sa cadette, sa sœur Louisa fut, quant à elle, autorisée à y aller et – comme pour ajouter le ressentiment au dépit, déjà fort cruel, du jeune garçon – en rapporta un globe de verre rempli de minuscules étincelles scintillant dans la pénombre : trophée qui devait, dès lors, apprivoiser, de sa douce et chaude clarté, l'obscurité de leur chambre à coucher. Alors que lui n'avait rapporté, pour tout souvenir de son séjour... qu'une rougeole carabinée.

Quelque temps plus tard, la chatte de la ferme eut trois chatons : deux noir et blanc, à son image, et une minuscule boule de poils, à la fourrure lustrée d'un beau noir bleuté, dont les yeux changeaient de couleur selon les caprices de son humeur, du vert et or au vermillon zébré d'écarlate. Mr. et Mrs. Thorn en firent don à leur fils, pour compenser la privation de foire.

Elle ne poussait pas bien vite, la petite chatte bleue, mais c'était la plus adorable petite chatte du monde, jusqu'à ce que, un soir, elle se mît à tourner en rond dans la maison, avec des *mrowll* dans la gorge et des éclairs dans les yeux – si tant est que ces étroites fentes ardentes, aussi pourpres que des digitales, puissent encore être considérées comme tels. Quand, revenant des champs après sa rude journée de labeur, le père de Tristan rentra à la ferme, la chatte poussa un miaulement à fendre l'âme, puis fila comme une flèche par la porte entrouverte et disparut dans l'obscurité.

Les sentinelles qui montaient la garde devant le mur étaient censées arrêter les gens, pas les chats, et Tristan, qui avait douze ans à l'époque, ne revit jamais sa chatte bleue. Comme, le temps passant, le garçon semblait toujours inconsolable, son père entra un soir dans sa chambre et s'assit au pied de son lit.

— Elle sera plus heureuse, de l'autre côté. Avec les siens, lui assura-t-il de sa grosse voix bourrue. Ne t'en fais pas pour elle, mon garçon.

Sa mère ne lui dit rien. Mais comme elle ne lui disait jamais rien... Il lui arrivait parfois, en relevant les yeux, de la surprendre qui le regardait intensément, comme si elle cherchait à décrypter sur ses traits quelque secret, aussi mystérieux qu'inavouable.

Sa sœur Louisa l'asticotait toujours avec cela, quand ils montaient au village, le matin, pour aller à l'école. Tout comme elle le tarabustait à propos de tant d'autres choses. De la forme de ses oreilles, par exemple (celle de droite était plaquée contre son crâne et presque pointue ; ce qui n'était pas le cas de celle de gauche) et à propos des bêtises qu'il racontait : un jour, il lui avait dit que les nuages qu'ils apercevaient en rentrant de l'école – les petits nuages blancs qui s'agglutinaient au-dessus de l'horizon, au coucher du soleil – étaient des moutons. Il avait eu beau protester par la suite, jurer qu'il avait seulement laissé entendre que les nuages lui « faisaient penser » à des moutons ou qu'ils avaient effectivement une apparence laineuse et que leur façon moutonnière de s'attrouper... Elle lui avait ri au nez, s'était moquée de lui et l'avait harcelé comme un vrai farfadet. Pis encore, elle était allée moucharder auprès des autres enfants du village, les poussant à « bêêêler » discrètement sur son passage. Nul ne s'y entendait mieux que Louisa pour mener son petit monde. Et elle faisait tourner son malheureux frère en bourrique.

L'école du village était une bonne école et, sous la gouverne de Mrs. Cherry, sa maîtresse d'école, Tristan Thorn avait beaucoup appris : fractions, longitudes et latitudes n'avaient plus aucun secret pour lui ; il pouvait demander le crayon de la tante du jardinier, en français – et même le crayon de sa propre tante, à l'occasion ; il pouvait réciter par cœur la liste de tous les rois et reines d'Angleterre, depuis Guillaume le Conquérant (1066) jusqu'à Victoria (1837). Il avait appris à lire et avait une belle écriture déliée. Il possédait également un assez joli brin de voix. Rares étaient ceux que leurs pérégrinations menaient à Wall. Il arrivait pourtant qu'un colporteur vînt vendre au village ses « romans à deux sous » : romans à sensations regorgeant d'abominables meurtres, de rencontres fatales, de faits divers sanglants et d'évasions fantastiques. La plupart de ces marchands ambulants vendaient aussi des partitions sur lesquelles étaient retranscrites les paroles de chansons populaires (deux pour un penny) et les familles les achetaient pour se réunir autour du piano et entonner en chœur ces ritournelles éternelles.

Ainsi passaient les jours, les semaines, les années. À quatorze ans, par un processus d'osmose, entre plaisanteries de corps de garde, secrets virils et chansons paillardes, Tristan découvrit le sexe. À quinze ans, il se cassa le bras en tombant d'un pommier devant la maison de Mr. Tommy Forester – ou, plus exactement, en tombant d'un pommier dont les branches donnaient sur la fenêtre de la chambre de Miss Victoria Forester. À son immense regret, Tristan n'eut qu'un aperçu de Victoria – qui avait l'âge de sa sœur et était, sans conteste, la plus belle fille à des centaines de lieues à la ronde – , un aperçu de couleur rose, aussi bref que vague, mais d'autant plus appétissant : juste de quoi lui échauffer le sang et... lui faire perdre l'équilibre.

Victoria n'avait pas dix-sept ans qu'elle était déjà, très probablement – Tristan, du haut de ses dix-sept ans accomplis, en était, quant à lui, intimement persuadé – la plus belle fille des îles Britanniques. « De tout l'Empire de Sa Gracieuse Majesté », aurait-il même revendiqué, sinon « du monde entier ». Et gare à qui aurait osé le contredire ! Il lui aurait asséné un bon crochet du droit – ou, du moins, se disait-il prêt à le faire. Au reste, bien malin qui aurait pu lui trouver, dans tout Wall, un seul contradicteur : Victoria Forester faisait tourner les têtes et, avait déjà, sans nul doute, plus d'un cœur brisé à son actif.

Description : de sa mère, Victoria avait les grands yeux gris et le visage en cœur et, de son père, les épaisses boucles brunes. Ses lèvres rouges et pleines étaient parfaitement ourlées. Ses joues se fardaient d'un rose délicat quand elle s'animait. Elle avait le teint pâle et un charme indéniable. À seize ans, elle avait eu une violente altercation avec sa mère. La belle enfant s'était mis en tête de travailler à la Septième Pie en qualité de fille d'auberge.

— J'en ai parlé à Mr. Bromios, avait-elle insisté. Et il n'y voit aucune objection, lui.

— Ce que pense ou non Mr. Bromios n'a rien à voir dans cette affaire, lui avait répondu sa mère, l'ex-Bridget Comfrey. Ce n'est pas un emploi convenable pour une jeune fille de bonne famille.

Fasciné par la bataille qui se jouait sous ses yeux, Wall tout entier retenait son souffle. Chacun se demandait qui allait l'emporter. Car on ne contrariait pas Bridget Forester : une femme qui, d'un coup de langue, pouvait « vous boursoufler la peinture d'une porte de grange, si c'est pas vous arracher l'écorce d'un tronc d'arbre tout vif », disaient les villageois. Personne au village n'aurait osé prendre Bridget Forester à rebrousse-poil. On disait même que le mur marcherait avant que Bridget Forester ne changeât d'avis.

Cependant, Miss Victoria Forester était habituée à n'en faire qu'à sa tête. En dernier recours, elle pourrait toujours plaider sa cause auprès de son père qui ne manquerait pas d'accéder aux désirs de sa fille chérie. Mais, là encore, une surprise l'attendait : non seulement son père se rangea à l'avis maternel – lui répétant qu'une jeune fille bien élevée ne travaillerait certainement pas à la Septième Pie – mais, il lui signifia clairement, par son attitude et son air résolus, que le chapitre était clos et qu'elle n'avait pas intérêt à y revenir. Affaire classée.

Tous les garçons du village étaient amoureux de Victoria Forester. Et il n'était pas rare qu'un parfait gentleman, à la barbe argentée, honnêtement marié et heureux en ménage, la suivît des yeux quand elle passait dans la rue, redevenant, pour ces quelques trop brefs instants où le regard s'attachait à ces charmants jupons, ce fringant godelureau de sa jeunesse, le pas alerte et le cœur en bandoulière.

— On dit que Mr. Lundy lui-même serait au nombre de tes admirateurs, minauda Louisa Thorn, en se tournant vers Victoria Forester.

La scène se déroulait par un bel après-midi de mai. Cinq demoiselles étaient assises au pied du plus vieux pommier du verger dont le tronc, gigantesque, faisait un parfait dossier. L'arbre était en fleur et, au moindre souffle de vent, les pétales tourbillonnaient comme des flocons de neige, poudrant leurs chevelures et leurs jupes que les rayons du soleil, en s'immisçant à travers le feuillage, parsemaient de sequins d'or, de bronze et d'argent.

— Mr. Lundy, répliqua Miss Victoria Forester avec dédain, a au moins quarante-cinq ans, si ce n'est plus.

Et elle assortit cette sentence d'une grimace on ne peut plus éloquente : quarante-cinq ans était assurément un âge canonique, surtout pour qui se trouvait n'avoir guère plus de dix-sept printemps.

— De toute façon, intervint Cécilia Hempstock, la cousine de Louisa, il a déjà été marié. Je n'accepterais jamais d'épouser un homme qui a déjà été marié. Ce serait comme... comme faire dresser son propre poney par quelqu'un d'autre.

— À mon avis, ce serait bien là le seul et unique avantage qu'il pourrait y avoir à épouser un veuf, protesta Amélia Robinson. Que quelqu'un d'autre ait déjà arrondi les angles, ou l'ait déjà « dressé », si vous préférez. En outre, j'imagine qu'à un âge si avancé, ses appétits doivent être depuis longtemps comblés ou, à tout le moins, sérieusement émoussés. Ce qui devrait permettre d'échapper à certaines indignités...

Une risée de gloussements prestement étouffés courut sous les pommiers.

— Il n'empêche, hasarda timidement Lucy Pippin, il doit être bien agréable de vivre dans une grande maison, d'avoir une voiture particulière, un attelage de quatre chevaux et de pouvoir aller à Londres pour la saison, à Bath pour prendre les eaux et à Brighton pour les bains de mer. Quand bien même Mr. Lundy aurait effectivement quarante-cinq ans.

Toutes les autres jouvencelles se récrièrent en la bombardant de pétales à pleines poignées. Nulle ne cria plus fort et ne la mitrailla davantage que Miss Victoria Forester.

À dix-sept ans – il avait à peine six mois de plus que Victoria –, Tristan Thorn se trouvait à mi-chemin entre l'enfant et l'homme et ne se sentait à son aise dans aucun des deux rôles. Il était tout en coudes et en pomme d'Adam et, quoiqu'il s'échinât à les peigner et à les aplatir plus souvent qu'à leur tour, ses cheveux – couleur de paille mouillée, qui plus est – s'obstinaient à regimber, s'égaillant aux quatre vents pour former de splendides épis tels qu'on n'en peut avoir qu'à dix-sept ans.

Il était d'une timidité maladive et, comme bien des gens dans ce cas, tentait de compenser ce cruel manque d'assurance en se faisant remarquer quand il ne fallait pas. La plupart du temps, Tristan s'estimait content de son sort – du moins aussi content que peut l'être un jeune homme de dix-sept ans qui a la vie devant lui. Pourtant, quand il rêvassait dans les champs de son père ou derrière son bureau, dans l'arrière-boutique de Lundy & Brown, l'épicerie du village, il s'imaginait prendre le train pour Londres ou Liverpool, ou même s'embarquer sur un vapeur pour l'Amérique et faire fortune de l'autre côté de l'Atlantique parmi les sauvages du Nouveau Monde.

Mais il arrivait que le vent soufflât d'Outre-Mur, un vent qui sentait la menthe, le serpolet et les groseilles. D'étranges lueurs se mettaient alors à danser au cœur des flambées dans les cheminées du village. Quand ce vent-là soufflait, quantité de petites choses – des allumettes à friction aux lanternes magiques – se mettaient subitement à avoir des ratés ou même à ne plus vouloir fonctionner du tout.

Dans ces moments-là, les songes de Tristan Thorn se muaient en d'étranges et coupables fantasmagories, aussi tortueuses qu'invraisemblables, épiques traversées d'impénétrables forêts pour sauver de belles princesses prisonnières d'imprenables palais et autres histoires de chevaliers, de trolls et de sirènes. Quand ces humeurs fantasques le prenaient, il se glissait hors de la maison et allait s'allonger dans l'herbe pour admirer les étoiles.

Rares sont ceux d'entre nous qui ont pu voir les étoiles telles que les gens les voyaient à cette époque – les lumières de nos villes violent l'obscurité de la nuit –, mais, vues du village de Wall, en ce temps-là, les étoiles s'offraient au regard comme autant de mondes ou d'idées à explorer, aussi innombrables que les arbres dans la forêt ou les feuilles sur l'arbre. Tristan se perdait ainsi dans la contemplation du firmament jusqu'à ne plus penser à rien, puis il rentrait se coucher et dormait comme une souche.

Mais, sous ses dehors de grand échalas dégingandé, Tristan Thorn était un véritable baril de poudre. Il n'attendait qu'une seule chose : que quelqu'un ou que quelque événement allumât enfin la mèche. Mais, comme rien ni personne ne s'y décidait, il occupait ses soirées et ses weekends en aidant son père à la ferme et, tous les jours de la semaine, travaillait comme commis pour Mr. Brown chez Lundy & Brown.

« Lundy & Brown » était le nom de l'unique échoppe du village. Quoiqu'on pût y trouver un certain nombre de produits de première nécessité, le plus gros du commerce se faisait par l'intermédiaire de listes : les villageois remettaient à Mr. Brown une liste sur laquelle figurait tout ce dont ils avaient besoin, du pot de rillettes au parasiticide pour moutons, des couteaux à poisson aux tuiles pour le toit. Le commis de Lundy & Brown compilait les différentes listes pour n'en faire qu'une seule où tous les produits demandés étaient répertoriés. Mr. Lundy prenait alors cette liste et son haquet, tiré par deux énormes chevaux de labour, et se mettait en route pour la bourgade la plus proche. Il en revenait, quelques jours plus tard, avec un chargement hétéroclite, son haquet débordant de marchandises en tout genre.

Par une froide journée d'octobre – un de ces jours de grand vent où l'on se dit toujours qu'il va pleuvoir et où il ne pleut jamais –, l'après-midi s'achevait quand Victoria Forester entra chez Lundy & Brown avec une liste portant l'écriture appliquée de sa mère, et fit tinter la clochette posée sur le comptoir.

Elle sembla quelque peu désappointée en voyant apparaître Tristan Thorn.

— Le bonjour, Miss Forester.

Elle lui adressa un petit sourire crispé et lui tendit sa liste qui contenait les articles suivants :

1/2 livre de sagou
10 boîtes de sardines

1 bouteille de ketchup aux champignons
5 livres de riz
1 boîte de mélasse
2 livres de raisins secs
1 bouteille de cochenille
1 livre de sucre d'orge
1 boîte de cacao Rowntrees Elect à un shilling
1 boîte de polish pour couteau Oakey à trois pence
1 paquet de gélatine Swinborne
1 bouteille d'encaustique
1 louche
Un passe-sauce à neuf pence
Une escabelle de cuisine

Tristan la lut, espérant y trouver un éventuel sujet de conversation, quelque ouverture audacieuse, en somme – ou n'importe quelle ouverture, d'ailleurs.

Et il entendit une voix – sa voix ! – ânonner :

— Vous... vous allez bientôt manger du pudding, je dirais, Miss Forester.

Il n'avait pas achevé sa phrase qu'il regrettait déjà d'avoir parlé. Les lèvres parfaitement ourlées de la belle Victoria se plissèrent en une élégante moue. Elle papillota des paupières.

— Oui, Tristan, nous allons manger du riz au lait.

Puis elle lui sourit et ajouta :

— Mère dit que, pris en quantité suffisante, le riz au lait permet de conjurer les coups de froid, les rhumes et autres indispositions automnales.

— Ma mère ne jure que par le pudding au tapioca, confessa Tristan.

Il plaça la liste sur un pique-notes.

— Nous pourrons vous fournir la majeure partie de ces provisions demain matin et le reste arrivera avec Mr. Lundy, en début de semaine prochaine.

Il y eut alors une grande rafale de vent qui fit vibrer toutes les fenêtres du village et tourner toutes les girouettes, tant et si bien qu'elles en perdirent le nord.

Le feu qui brûlait dans l'âtre, chez Lundy & Brown, se mit à rugir dans une explosion de verts et d'écarlates, éructant des flammèches frisées d'étincelles d'argent, de celles que l'on peut obtenir, chez soi, en jetant une poignée de limaille dans la cheminée du salon.

Le vent soufflait de l'Est, du Pays des fées, et Tristan Thorn trouva soudain en lui assez de courage – un courage qu'il ne se savait certes pas posséder – pour déclarer :

— Vous savez, Miss Forester, je finis dans deux minutes. Je pourrais peut-être vous raccompagner chez vous ?

Et il attendit, le cœur battant, tandis que Victoria Forester posait sur lui ses grands yeux gris, une lueur d'amusement dans les prunelles. Après ce qui lui parut plus d'un siècle, elle répondit :

— Mais certainement.

Tristan se précipita aussitôt dans l'arrière-boutique et informa Mr. Brown qu'il partait immédiatement.

— Quand j'étais plus jeune, grommela Mr. Brown, d'un ton plus indulgent que sévère, non seulement je devais rester tard le soir et fermer la boutique, mais je devais aussi dormir à même le sol, sous le comptoir, avec mon manteau pour tout oreiller.

Tristan reconnut qu'il avait effectivement beaucoup de chance et lui souhaita une bonne soirée. Puis il prit son manteau accroché au portemanteau et son chapeau melon tout neuf posé sur le porte-chapeaux et sortit rejoindre Victoria Forester qui l'attendait.

Le crépuscule automnal s'effaçait peu à peu devant une nuit précoce qui s'annonçait profonde. Tristan Thorn et Victoria Forester foulaient, côte à côte, les pavés du village. Tristan sentait venir l'hiver : un soupçon de brumenocturne flottant dans les airs, un souffle d'obscurité craquante comme du givre, l'odeur puissante des feuilles mortes.

Ils empruntèrent l'allée qui menait à la ferme des Forester. Un croissant de lune d'une blancheur étincelante s'accrochait au drap du ciel piqueté d'étoiles incandescentes.

— Victoria, murmura Tristan, au bout d'un long moment de silence.

— Oui, Tristan, répondit Victoria, qui était demeurée plongée dans ses pensées pendant la majeure partie du trajet.

— Me jugeriez-vous impertinent si je vous embrassais ?

— Oui, trancha Victoria d'une voix glaciale. Très impertinent.

— Ah, soupira Tristan.

Ils gravirent le mont Dyties sans mot dire. Parvenus au sommet, ils se retournèrent pour admirer le village de Wall étendu à leurs pieds. Lampes et chandelles brillaient derrière les fenêtres : chaleureux halos de lumière blonde scintillant comme autant d'invites amicales, et, au-dessus d'eux, crépitaient les étincelles brasillantes d'une myriade d'étoiles, froides et lointaines, et trop nombreuses pour que l'esprit puisse les englober toutes.

Tristan prit la main de Victoria dans la sienne. Elle ne protesta pas.

— Avez-vous vu ? demanda Victoria, qui contemplait le paysage.

— Non, je n'ai rien vu, répondit Tristan. Je vous regardais.

Victoria sourit au clair de lune.

— Vous êtes la plus belle femme du monde, s'exclama-t-il soudain, la main sur le cœur.

— Mais oui, bien sûr ! rétorqua Victoria, d'un ton léger.

— Et qu'est-ce donc que vous avez vu ? s'enquit enfin Tristan.

— Une étoile filante. Mais je suppose que cela n'a rien d'extraordinaire à cette période de l'année.

— Vicky, souffla Tristan. Veux-tu m'embrasser ?

— Non.

— Pourtant, tu voulais bien quand nous étions enfants. Et tu m'as embrassé sous l'Arbre-à-souhaits, le jour de tes quinze ans. Et tu m'as embrassé l'année dernière, au Premier Mai, derrière l'étable de ton père.

— J'étais quelqu'un d'autre, en ce temps-là. J'ai changé. Et je ne vous embrasserai pas, Tristan Thorn.

— Si tu ne veux pas m'embrasser, veux-tu m'épouser ?

Seul le souffle du vent d'octobre troublait le silence qui avait envahi la colline. Un silence que vint soudain briser un trille cristallin : le trille montant de la gorge de la plus jolie fille des îles Britanniques qui riait, au comble de l'amusement.

— Vous épouser ? répéta-t-elle, incrédule. Et pourquoi irais-je donc vous épouser, Tristan Thorn ? Qu'avez-vous donc à m'offrir ?

— À vous offrir ? s'écria Tristan. Mais j'irais jusqu'aux Indes pour vous, Miss Victoria Forester, et je vous rapporterais des défenses d'éléphants et des perles grosses comme le pouce et des rubis de la taille d'un œuf de roitelet.

« J'irais en Afrique et je vous rapporterais des diamants gros comme une balle de cricket. Je trouverais la source du Nil et je lui donnerais votre nom.

« J'irais aux Amériques et même jusqu'à San Francisco, dans les mines d'or, et je ne reviendrais pas avant d'avoir votre pesant d'or en poche. Alors je rapporterais mon trésor jusqu'ici pour le jeter à vos pieds.

« Sur un seul mot de vous, j'irais jusqu'aux terres du Grand Nord pour trucider les terribles ours polaires et vous en rapporter la fourrure. Il suffirait...

— Je trouvais que tu t'en sortais plutôt bien jusqu'à cette histoire d'ours polaires, l'interrompit Victoria Forester. Quoi qu'il en soit, monsieur le petit commis d'épicerie, je ne vous embrasserai pas. Pas plus que je n'épouserai un misérable valet de ferme comme toi.

Les yeux de Tristan flamboyèrent au clair de lune.

— Je traverserais la moitié du monde pour vous et gagnerais la lointaine Cathay, reprit-il, lyrique. Et je vous rapporterais une gigantesque jonque que je volerais au roi des pirates, une jonque remplie de jade, de soieries et d'opium.

« J'irais jusqu'en Australie, là-bas, à l'autre bout de la Terre, et je vous rapporterais... euh...

Il fouillait dans sa mémoire, passait en revue tous les romans à deux sous qu'il avait lus, en quête d'un héros qui aurait visité l'Australie.

— Un kangourou, s'écria-t-il. Et... et des opales.

Il était presque sûr pour les opales.

Victoria Forester lui étreignit la main.

— Et qu'irais-je donc faire d'un kangourou ? lui répondit-elle. Bon, maintenant, nous ferions mieux d'y aller, sinon mes parents vont se poser des questions. Et, s'ils s'interrogent sur les raisons de mon retard, il se pourrait fort qu'ils en tirent de trop hâtives conclusions. Hâtives et parfaitement injustifiées. Car je ne vous ai pas embrassé, Tristan Thorn.

— Embrassez-moi, supplia Tristan. Je ferais n'importe quoi pour un baiser de vous. Aucune montagne ne serait assez haute, aucun fleuve assez impétueux, aucun désert assez torride. Je traverserais le monde entier pour un seul baiser de vous, déclama-t-il, en désignant, à grands gestes, le village de Wall, en contrebas, et le firmament, au-dessus de leurs têtes.

Dans la constellation d'Orion, une étoile s'embrasa et zébra l'obscurité avant de s'abîmer par-delà l'horizon, à la rencontre du soleil levant.

— Pour un baiser, s'enflamma Tristan, grandiloquent, et si vous me promettez votre main, je vous rapporterai cette étoile tombée du ciel.

Il frissonna. Son manteau n'était pas très épais et il était évident qu'il n'aurait pas son baiser – ce qu'il trouvait pour le moins déroutant : dans tous les romans à deux sous qu'il avait lus, et même dans les romans de quatre sous, les héros n'avaient jamais aucun problème pour obtenir un baiser.

— Eh bien, allez-y donc, rétorqua Victoria. Et, si vous y parvenez, je le ferai.

— Quoi ? s'écria Tristan, saisi.

— Si vous me rapportez cette étoile, répondit Victoria, celle qui vient juste de tomber à l'instant, celle-ci et pas une autre, je vous embrasserai. Et peut-être ferai-je bien davantage, qui sait ? Vous voilà satisfait. Et vous n'avez plus besoin d'aller en Australie, en Afrique, ni en lointaine Cathay.

— Quoi ? répéta Tristan.

Victoria éclata de rire, retira sa main et prit le chemin de la ferme paternelle. Tristan dut courir pour la rattraper.

— Tu es vraiment sérieuse ?

— Autant que toi avec toutes tes promesses de rubis, d'or et d'opium, répondit-elle. D'ailleurs, qu'est-ce que cela peut bien être, un opium ?

— C'est quelque chose qui entre dans la composition des sirops pour la toux. Un peu comme l'eucalyptus.

— Voilà qui ne me paraît pas particulièrement romantique. Cela dit, ne devrais-tu pas être déjà parti me chercher mon étoile filante ? Elle est tombée à l'Est, par là. (Elle pointa le doigt et s'esclaffa de plus belle.) Pauvre

48

petit commis sans cervelle qui parvient déjà tout juste à nous procurer les ingrédients d'un malheureux riz au lait !

— Et si je te la rapportais, cette étoile filante, s'enquit Tristan, qu'est-ce que tu me donnerais en échange ? Un baiser ? Ta main ?

— Tout ce que tu voudras, répondit Victoria, que le jeu semblait amuser.

— Promis juré ?

Il ne leur restait plus qu'une centaine de mètres à parcourir avant d'atteindre la ferme des Forester dont les lampes accrochaient déjà des halos jaunes et orangés aux rectangles noirs des croisées.

— Bien sûr, répondit Victoria, un grand sourire aux lèvres.

Avec le passage des chevaux, des vaches, des moutons et des chiens, le sentier de terre battue qui menait à la ferme des Forester n'était plus qu'un infâme bourbier. Ce qui n'empêcha pas Tristan Thorn de tomber à genoux aux pieds de sa dulcinée.

— Qu'il en soit donc ainsi, fit-il, d'une voix grave.

Une rafale de vent d'est emporta ses paroles.

— Je vais donc vous abandonner ici, ma Dame, dit Tristan Thorn, car une affaire urgente m'appelle en Orient.

Il se releva, sans un regard pour la boue qui maculait son manteau et son pantalon, puis s'inclina devant la jeune fille en ôtant son chapeau melon.

Victoria Forester rit de ce maigrichon de commis qui se jetait à ses pieds et lui faisait la révérence. Elle rit de si bon cœur, si fort et si longtemps que l'écho de son rire flûté suivit Tristan Thorn jusqu'au pied de la colline et même plus loin encore.

Tristan Thorn courut d'une seule traite jusque chez lui. Les ronces avaient beau s'agripper à ses vêtements et les branches, malmener son beau chapeau – l'une d'entre elles parvint même à le lui arracher –, rien ne semblait devoir l'arrêter.

À bout de souffle, le manteau plein d'accrocs et le pantalon tout crotté, il fit irruption dans la cuisine de la ferme, dans les Prairies de l'Ouest.

— Non mais ! regarde-toi ! Dans quel état tu t'es mis ! s'exclama sa mère. Ça par exemple ! Je n'ai jamais vu une chose pareille !

Pour toute réponse, Tristan se contenta d'un sourire.

— Tristan ? intercéda son père qui, à trente-cinq ans passés, avait conservé l'allure et les taches de rousseur de son adolescence, en dépit des nombreux fils d'argent qui envahissaient déjà ses épaisses boucles brunes. Ta mère te parle. Ne l'as-tu donc pas entendue ?

— Père, Mère, je vous demande pardon, répondit Tristan, mais je dois quitter le village dès ce soir. Il se peut que je ne revienne pas de sitôt.

— Qu'est-ce que c'est que ces sornettes ? s'écria Daisy Thorn. A-t-on jamais entendu pareilles sottises !

Mais Dunstan Thorn avait remarqué, lui, la lueur dans les yeux de son fils.

— Laisse-moi lui parler, dit-il à sa femme.

Elle lui décocha un regard alarmé, puis acquiesça d'un battement de paupières.

— Très bien. Mais qui va recoudre le manteau de cet enfant ? Ah ça ! je vous le demande !

Et elle sortit de la cuisine à petits pas pressés.

Dans le foyer, les flammes se parèrent d'éclats verts et violets et le feu éructa, en bouquet, des étincelles argentées.

— Où vas-tu ? demanda Dunstan.

— À l'Est, répondit son fils.

À l'Est. Dunstan Thorn hocha la tête. Il y avait deux « est » : l'est, vers le comté voisin, par-delà la forêt, et l'Est, de l'autre côté du mur. Dunstan Thorn n'eut guère besoin d'interroger son fils pour savoir quel était celui dont il voulait parler.

— Et... penses-tu revenir un jour ? lui demanda-t-il plutôt.

— Bien sûr, répondit Tristan, avec un large sourire.

— Bon, dit son père. Alors tout va bien.

Il se gratta le nez.

— Et, pour ce qui est de franchir le mur, as-tu déjà réfléchi à la question ?

Tristan secoua la tête.

— Mais je suis sûr que je saurai trouver une solution, affirma-t-il, bravache. Quitte à me battre avec les gardes, s'il le faut.

Son père eut un petit reniflement dédaigneux.

— Certainement pas. Tu n'en feras rien. Que dirais-tu si c'était toi qui étais de garde, ce soir, ou moi ? Je ne tolérerai pas la moindre violence. Personne ne se fera estropier, tant que je serai là.

Il recommença à se gratter l'aile du nez.

— Va faire ton sac et embrasse ta mère. Je vais t'accompagner au village.

Tristan fit ses bagages. Sa mère lui apporta six belles pommes rouges bien mûres, une miche de pain tout frais et une meule de fromage de la ferme. Elle les lui donna sans un regard. Elle ne voulait pas le regarder. Tristan rangea ses provisions dans son sac, l'embrassa sur la joue et lui fit ses adieux. Puis il sortit avec son père pour descendre au village.

Tristan avait seize ans la première fois qu'il avait monté la garde devant la brèche. On ne lui avait alors donné qu'une seule et unique instruction : « Les gardes ont pour devoir d'empêcher quiconque venant du village de franchir la brèche. Et ce, par n'importe quel moyen. En cas d'impossibilité, les gardes doivent sonner le branle-bas de combat pour appeler toute la population du village à la rescousse. »

Tout en marchant à ses côtés, Tristan se demandait ce que son père pouvait bien avoir derrière la tête. Peut-être tenteraient-ils de maîtriser les gardes ? Après tout, en unissant leurs forces, ils pourraient sans doute y parvenir. Peut-être son père créerait-il une diversion, pendant qu'il se faufilerait discrètement par la brèche ? Peut-être que...

Le temps qu'ils aient traversé le village pour rejoindre le mur, Tristan avait déjà passé en revue tous les stratagèmes possibles et imaginables. Il avait envisagé toutes les hypothèses. Toutes, mais pas celle-là.

Ce soir-là, les sentinelles de garde n'étaient autres que Harold Crutchbeck et Mr. Bromios. Harold Crutchbeck, le fils du meunier, était un robuste gaillard qui avait plusieurs années de plus que Tristan. Mr. Bromios avait le cheveu noir et frisé, l'œil vert émeraude, le sourire éclatant et sentait bon le raisin, le jus de la treille, l'orge et le houblon.

Dunstan Thorn s'avança vers Mr. Bromios.

— B'soir, Mister Bromios. B'soir, Harold, fit-il, en frappant le sol des pieds pour se réchauffer.

— B'soir, Mister Thorn, répondit Harold Crutchbeck.

— Bonsoir, Dunstan, répondit Mr. Bromios. Comment va ? Bien, j'espère.

Dunstan reconnut que « cela pourrait aller plus mal » et ils se mirent à parler du temps « qui n'allait pas faire de bien aux fermiers » et de l'hiver « qui s'annonçait bien rude, à voir la quantité de baies de houx et d'if déjà sorties ».

Pendant ce temps, Tristan les écoutait sagement. Mais, en réalité, il rongeait son frein. Il était même à deux doigts d'exploser. Il sut, pourtant, tenir sa langue, ne laissant rien paraître du bouillonnement qui l'agitait.

— Mister Bromios, Harold, vous connaissez tous les deux mon fils Tristan, je crois ? demanda finalement son père.

Le regard indécis et le geste nerveux, Tristan leva son chapeau melon en guise de salutations.

C'est alors que son père dit quelque chose qu'il ne comprit pas :

— Vous savez tous les deux d'où il vient, je suppose ?

Mr. Bromios hocha la tête en silence.

Harold Crutchbeck murmura « qu'il avait bien entendu des histoires là-dessus, mais que s'il fallait croire tout ce que les gens racontaient... »

— Eh bien, c'est vrai, l'interrompit Dunstan Thorn. Et, maintenant, il est temps pour lui d'y retourner.

— Il y a cette étoile qui... intervint Tristan, soucieux de s'expliquer.

Mais son père le musela d'un geste.

Mr. Bromios se frotta le menton et se passa la main dans les cheveux.

— Bien, conclut-il enfin.

Il se tourna vers Harold et lui parla si bas que Tristan ne put entendre un mot de ce qu'il lui disait.

— Va, mon garçon, lui murmura alors son père, en lui glissant quelque chose de froid dans la main. Va et ramène ton étoile. Et que tous les anges du ciel soient avec toi ! Que Dieu te garde, mon fils !

Et c'est ainsi que Mr. Bromios et Harold Crutchbeck – que les gardes en faction ! – s'écartèrent pour lui livrer passage.

Tristan s'avança d'un bon pas entre les deux épais remparts de granit gris et se retrouva dans la prairie, de l'autre côté du mur.

En se retournant, il vit les trois hommes s'encadrer dans la brèche et se demanda pourquoi ils l'avaient laissé passer.

Puis, son sac dans une main et l'objet que son père lui avait donné dans l'autre, Tristan se dirigea vers le rideau d'arbres, là-bas, au sommet du vert coteau en pente douce, par-delà la prairie.

À mesure que Tristan progressait, le froid de la nuit semblait se dissiper. Quand il atteignit enfin la forêt, en haut de la colline, quelle ne fut pas sa surprise en voyant la lune éclairer son chemin à travers les feuillages ! Et, surpris, on l'eût été à moins puisque la lune s'était couchée plus d'une heure auparavant. Et Tristan le fut doublement puisque, au lieu du mince croissant d'argent qu'il avait vu disparaître, brillait un astre énorme et triomphant, une pleine lune de Saint-Jean, rayonnante et toute parée d'orfroi.

L'objet qu'il avait dans la main tintinnabula, tel le gracieux carillon argentin de quelque minuscule cathédrale de verre. Il ouvrit la paume et l'examina au clair de lune.

C'était un perce-neige de cristal.

Une brise tiède lui caressa la joue et des parfums de menthe poivrée, de feuilles de cassis et de prunes rouges gorgées de soleil lui chatouillèrent les narines. C'est alors que Tristan Thorn prit pleinement conscience de ce qu'il venait de faire : une chape de plomb lui tomba sur les épaules. L'énormité de l'entreprise l'accabla. Il s'était aventuré au Pays des fées pour chercher une étoile filante ! Comment la trouverait-il ? Il n'en avait pas la moindre idée. Comment se garderait-il des éventuels dangers qui pourraient menacer sa sécurité, voire même son existence ? Il ne le savait pas davantage. Il se retourna. Il lui sembla alors qu'il pouvait apercevoir les lumières de Wall brasiller derrière lui, tels de lointains fanaux à travers une brume de chaleur, vacillants et fantomatiques, et pourtant si riches encore de tant de promesses de protection et de réconfort.

Et il savait que, s'il rebroussait chemin et rentrait au village, il n'en baisserait pas pour autant dans l'estime de ses concitoyens. Nul ne se moquerait de lui : ni son père, ni sa mère, ni même Victoria Forester qui se contenterait probablement de le traiter de « petit commis », avec un sourire en coin, et d'ajouter que les étoiles, une fois tombées, s'avéraient souvent bien difficiles à trouver.

Voilà qui méritait réflexion.

Mais il pensa aux lèvres de Victoria, aux grands yeux gris de Victoria, au rire flûté de Victoria... Alors il se redressa, accrocha le perce-neige de cristal à sa boutonnière et, trop ignorant pour avoir peur, trop jeune pour se laisser impressionner, Tristan Thorn passa de l'autre côté des terres connues...

... et entra en Faërie.

Chapitre
trois

*De la rencontre avec plusieurs autres personnes,
encore en vie pour la plupart, et portant toutes un
intérêt certain au devenir de l'étoile tombée du ciel.*

Le Fort de la Tempête avait été taillé à même la roche,
dans la masse d'un piton isolé, le mont Huon, par le premier seigneur de Stormhold, lequel régna entre la fin du
Premier Âge et le début du Second. Les différents Maîtres
de Stormhold, qui s'étaient succédé après lui, l'avaient
agrandi, embelli, creusé de maints tunnels et profondes
galeries, tant et si bien que le pic rocheux des origines
crevait à présent les cieux comme le rostre sculpté de quelque gigantesque monstre de granit gris. La citadelle proprement dite défiait les nuées du haut de son pinacle, là
où l'orage ralliait ses troupes avant de les lancer à l'assaut
des terres livrées à sa merci, là, en contrebas, à grand ren-
fort d'averses diluviennes et d'éclairs aveuglants, semant
la dévastation sur son passage.

Étendu sur sa couche, dans sa chambre royale, creusée
au faîte du sommet le plus élevé, comme une carie dans
une dent gâtée, le quatre-vingt-unième Maître de Stormhold se mourait. Même au-delà des terres connues, la mort
frappe encore.

Il appela ses fils à son chevet. Tous répondirent à
l'appel, vivants et trépassés, venus se réunir autour de la
couche paternelle – les premiers à sa droite ; les seconds,
à sa gauche – pour recueillir, en frissonnant sous les hautes
voûtes glacées, les ultimes paroles du vieillard à l'agonie.

Les défunts fils du seigneur de Stormhold étaient au
nombre de quatre : Secundus, Quintus, Quartus et Sextus.

Formes grises et éthérées, ils se tenaient parfaitement immobiles dans le mutisme le plus complet.

Les trois fils survivants de la lignée : Primus, Tertius et Septimus, faisaient front commun, à la droite de leur père. Ils se balançaient d'un pied sur l'autre et ne cessaient de se gratter le nez, les joues ou le menton, visiblement embarrassés, par le silence mortel de leurs frères défunts, peut-être. Ils ne les regardaient pas, se comportant – autant que faire se pouvait – comme s'ils étaient seuls avec leur père, dans cette chambre glaciale aux murs percés d'énormes trous béants, fenêtres minérales ouvertes à tous les vents. Était-ce parce qu'ils ne pouvaient voir les disparus ou parce que, les ayant assassinés de leurs propres mains (un chacun, sauf Septimus qui avait tué et Quintus et Sextus, empoisonnant le premier avec un plat d'anguilles copieusement relevé, puis – renonçant à l'artifice pour l'efficacité et la gravité – poussant Sextus du haut d'un précipice, une nuit qu'ils admiraient, côte à côte, une tempête magistrale en contrebas), ou, donc, parce que, les ayant tués, ils estimaient plus sage de les ignorer, par crainte des remords, des représailles ou des fantômes, leur père n'aurait su dire.

Le quatre-vingt-unième Seigneur de Stormhold avait secrètement espéré que, d'ici à ce qu'il arrivât à la fin de sa vie, six des sept jeunes héritiers de Stormhold seraient morts, ne laissant donc qu'un seul prétendant au trône. Ce dernier aurait alors tout naturellement pris les titres de quatre-vingt-deuxième seigneur de Stormhold et Maître des Hautes Corniches. Après tout, n'était-ce pas de cette façon qu'il avait lui-même pris le pouvoir, quelques siècles auparavant ?

Mais les jeunes d'aujourd'hui, se disait-il, *ne sont qu'un ramassis de couards dépourvus de l'allant, de la vigueur, de l'énergie qui animaient la jeunesse de mon temps...*

Quelqu'un lui parlait. Il s'efforça de prêter l'oreille.

— Père, répéta Primus, de sa voix de stentor. Nous sommes tous là. Qu'attendez-vous de nous ?

Le vieil homme le regarda et, dans un affreux chuintement poussif, inspira une bouffée d'air glacé.

— Je me meurs, dit-il d'un ton aussi âpre et froid que le granit de son nid d'aigle. Bientôt, j'aurai fait mon temps. Vous porterez alors ma dépouille au cœur de la montagne, dans le Caveau des Ancêtres et vous la mettrez – c'est-à-dire vous me mettrez, moi – dans la quatre-vingt-unième crypte que vous trouverez – la première qui ne soit pas déjà occupée – et m'abandonnerez à mon juste repos. Si vous tentez de vous soustraire à ce devoir filial, vous serez tous maudits et le donjon de la citadelle s'effondrera.

Les trois fils survivants ne dirent mot. Cependant, un murmure parcourut les rangs des quatre fils défunts : expression de leurs regrets, peut-être. Oui, sans doute regrettaient-ils que leurs cadavres aient été dévorés par les aigles ou emportés par les flots tumultueux, précipités dans des cataractes, malmenés par les rapides et jetés à la mer, au lieu de reposer dans le Caveau des Ancêtres.

— Et, maintenant, venons-en à la question de ma succession.

La voix du seigneur de Stormhold sifflait comme l'air comprimé par une paire de soufflets de forge rouillés. À ces mots, ses fils de chair et de sang relevèrent la tête : Primus, le plus âgé, avec son épaisse barbe brune striée de blanc, son nez aquilin et ses petits yeux gris perçants, semblait dans l'expectative ; Tertius, avec sa barbe rousse aux reflets d'or et ses yeux fauves, sur la défensive et le grand Septimus, avec sa courte barbe noire, ses allures de corbeau et son regard vide, d'une indifférence inexpressive, comme toujours.

— Primus, va à la fenêtre.

Primus se dirigea vers l'ouverture pratiquée dans la paroi de granit et s'arrêta au bord.

— Que vois-tu ?

— Rien, Monseigneur. Que le ciel du soir au-dessus de nous et les nuages en dessous.

Le vieil homme frissonna sous la peau d'ours qui le recouvrait.

— Tertius, va à la fenêtre. Que vois-tu ?

— Rien, Père. Comme Primus vous l'a dit : au-dessus de nous, le ciel, bleu comme un hématome, et, au-dessous, le banc de nuages gris qui plafonnent le monde, grouillant comme un nœud de vipères.

Les yeux du vieil homme tournèrent dans leurs orbites comme le regard fou d'un oiseau de proie.

— Septimus, à toi. À la fenêtre.

Septimus gagna nonchalamment l'ouverture et s'immobilisa à côté – mais pas trop près tout de même – de ses deux aînés.

— Et toi ? Que vois-tu ?

Septimus regarda au-dehors. Le vent froid le mordait au visage et ses yeux s'emplirent de larmes. Une étoile scintilla faiblement dans les cieux indigo.

— Je vois une étoile, Père.

— Aaaah ! fit le quatre-vingt-unième Seigneur de Stormhold, de sa voix chuintante. Conduisez-moi à la fenêtre.

Ses quatre fils défunts le suivirent tristement des yeux tandis que leurs trois frères le portaient jusqu'à la fenêtre. Prenant appui sur les larges épaules de ses enfants, le vieil homme se redressa jusqu'à se tenir pratiquement debout et tourna son regard usé vers le ciel de plomb.

Ses doigts jouèrent avec la topaze pendue à la lourde chaîne d'argent qu'il portait à son cou. Ces maigres brindilles aux articulations enflées semblaient aussi sèches que du bois mort près de s'effriter. La chaîne se rompit pourtant comme une toile d'araignée dans la main de fer du vieil homme. Il brandit la topaze dans son poing. Les bouts de chaîne brisée se balancèrent mollement dans le vide.

Un chuchotement parcourut les rangs des défunts héritiers de Stormhold – on aurait cru entendre tomber la neige : la topaze n'était autre que le Pouvoir de Stormhold, et celui qui la porterait deviendrait le Maître de Stormhold – pour peu que, dans ses veines, coulât le sang des Stormhold. De ses trois fils survivants, lequel le quatre-vingt-unième seigneur de Stormhold élirait-il pour recevoir la précieuse relique ?

Les trois intéressés ne disaient mot, mais tous semblaient, respectivement : dans l'expectative, sur la défensive et d'une indifférence inexpressive (mais cette indifférence, a priori inoffensive, n'était qu'un leurre, comme une paroi rocheuse peut paraître inoffensive jusqu'à ce qu'on en ait entrepris l'ascension, pour se rendre compte, à mi-parcours, qu'on ne peut plus ni redescendre ni monter).

Le vieil homme repoussa ses fils et se redressa soudain de toute sa hauteur, majestueux et droit. L'espace d'un instant, il redevint le Seigneur de Stormhold qui avait vaincu les Gobelins du Nord à la bataille du Cap-des-Corniches, qui avait eu trois épouses et, de ces trois épouses, huit enfants – dont sept garçons – et qui, avant d'avoir atteint sa vingtième année, avait déjà tué ses quatre frères au combat, alors même que l'aîné, qui avait plus de cinq fois son âge, jouissait d'une renommée de guerrier si redoutable que son nom seul faisait frémir les vétérans les plus aguerris. Ce fut cet homme-là qui brandit la topaze en prononçant quatre mots dans une langue oubliée, quatre mots chargés de pouvoir autant que de mystère qui résonnèrent à travers l'espace comme quatre coups portés sur un immense gong de bronze à la face des cieux.

C'est alors qu'il lança la pierre dans les airs. En la voyant s'élever au-dessus des nuages, les trois héritiers présumés retinrent leur souffle. Elle atteignit bientôt ce qui – aucun n'en doutait – ne pouvait être que le zénith de sa trajectoire, puis, défiant toute logique, poursuivit son chemin vers les nuées.

D'autres étoiles brillaient dans le ciel nocturne, à présent.

— À celui qui retrouvera la pierre et, par là même, le Pouvoir de Stormhold, je donne ma bénédiction ainsi que le titre de Maître de Stormhold et de toutes ses provinces, dit alors le quatre-vingt-unième seigneur de Stormhold, d'une voix qui s'éteignit jusqu'à n'être plus que le souffle éraillé d'un très très vieil homme, semblable au vent se faufilant entre les ruines de quelque maison à l'abandon.

Tous ses fils – les morts tout autant que les vivants – suivirent des yeux la chute de la pierre qui, comme libérée de la gravité, disparut dans la céleste immensité.

— Devrons-nous donc capturer et harnacher des aigles pour qu'ils nous emmènent jusqu'aux cieux ? demanda Tertius, manifestement en proie à la plus profonde confusion.

Cette idée semblait grandement le contrarier.

Son père ne répondit pas. Les dernières lueurs du jour moururent et les étoiles, innombrables et resplendissantes, diaprèrent le firmament de leur magnificence.

L'une d'entre elles tomba du ciel.

Tertius se dit, sans en être tout à fait certain, qu'il s'agissait de la première étoile du soir, celle que son frère Septimus avait remarquée.

L'étoile déchira la nuit de son sillage de lumière et disparut, quelque part au sud-ouest de Stormhold.

— Et voilà, chuchota le quatre-vingt-unième Seigneur de Stormhold, avant de s'effondrer sur le sol de sa chambre.

Il venait de rendre son dernier soupir.

Primus se gratta la barbe, en jetant un morne coup d'œil à l'amas chiffonné qui gisait à ses pieds.

— J'ai presque envie de pousser le cadavre de cette vieille ordure par la fenêtre, maugréa-t-il, entre haut et bas.

— Vaut mieux pas, répondit Tertius. Aucun de nous ne veut voir le Fort de la Tempête s'effondrer. Pas plus que nous ne voulons nous retrouver avec une malédiction au-dessus de la tête, d'ailleurs. Autant le mettre dans le Caveau des Ancêtres, comme il l'a demandé.

Primus souleva le corps de son père et l'alla recoucher sur la fourrure d'ours qui recouvrait son lit.

— Il faut annoncer sa mort au peuple, décréta-t-il.

Les quatre frères défunts se rassemblèrent autour de Septimus, resté à la fenêtre.

— À quoi pense-t-il, à ton avis ? demanda Quintus à Sextus.

— Il se demande où est tombée la pierre et comment la trouver en premier, répondit Sextus, qui se remémorait sa chute du haut du précipice dans l'éternité glacée.

— Sacrebleu ! Je l'espère bien ! s'exclama le feu quatre-vingt-unième Maître de Stormhold, s'adressant à ses quatre fils défunts.

Mais, sourds aux paroles des spectres, ses trois fils survivants n'en surent jamais rien.

Si une question comme « C'est grand, le Pays des fées ? » peut *a priori* sembler d'une enfantine simplicité, y répondre est moins aisé qu'il n'y paraît.

Après tout, le Pays des fées n'est pas vraiment un pays, ni une principauté, pas plus qu'un dominion de Sa Gracieuse Majesté. Les cartes du Pays des fées sont sujettes à caution : il n'est pas recommandé de s'y fier.

Nous parlons des rois et des reines du Pays des fées comme nous parlerions des rois et des reines d'Angleterre. Mais le Pays des fées est bien plus vaste que l'Angleterre : les îles Britanniques ne le contiendraient pas. Le monde entier n'y suffirait pas (pour la bonne raison que, depuis l'aube des temps, toute contrée rayée de la carte faute d'existence probante – au terme de maintes et infructueuses expéditions menées par moult explorateurs et autres téméraires aventuriers – a trouvé refuge au Pays des fées. De manière que, à l'heure où nous prenons la plume pour vous en parler, le Pays des fées est assurément devenu une incommensurable immensité aux reliefs et paysages d'une infinie variété). *Ci-vivaient*, bel et bien, *les Dragons*. Et aussi les griffons, les wyvernes, les hippogriffes, les basilis et les hydres. Sans même mentionner toutes sortes d'animaux beaucoup plus familiers : des chats – affectueux et distants –, des chiens – nobles et couards –, des loups et des renards, des aigles et des ours.

Au cœur d'un bois, si dense et si profond que c'en devenait presque une forêt, se dressait une petite maison de bois et de torchis, au toit de chaume, d'aspect fort peu engageant. À l'extérieur de la maison était suspendue une cage. Dans la cage, un petit oiseau jaune sur son perchoir était juché. Il ne chantait pas, ne bougeait pas, figé dans un silence de mort, avec ses plumes décolorées tout ébouriffées. La chaumière avait une porte dont la peinture, jadis blanche, s'écaillait.

La masure ne comportait qu'une pièce d'un seul tenant. Des jambons fumés et des saucissons secs pendaient des solives, aux côtés d'une carcasse de crocodile racornie. Un feu de tourbe brûlait dans l'âtre et un ruban de fumée âcre s'échappait par la cheminée. Il y avait là trois lits avec trois couvertures : un, grand et vieux, et deux autres, guère plus commodes que des lits gigognes.

Il y avait aussi des ustensiles de cuisine et, dans un autre coin, une grande cage de bois, la plupart du temps vide. Il y avait des fenêtres, trop sales pour qu'on puisse voir au travers, et tout était recouvert d'une épaisse couche de poussière grasse.

Il n'y avait qu'une seule chose de propre dans toute la maison : un grand miroir noir. Aussi haut qu'un homme de belle taille, aussi large qu'un portail d'église, il occupait une bonne partie du mur auquel il était adossé.

La maison appartenait à trois vieilles femmes qui, à tour de rôle, dormaient dans le grand lit, faisaient la cuisine, posaient des pièges dans les bois pour capturer le petit gibier et allaient tirer l'eau au puits derrière la bâtisse.

Les trois femmes parlaient peu.

Il y avait trois autres femmes dans la petite maison : trois belles et longues dames brunes à l'éternel sourire amusé. La demeure qu'elles habitaient faisait plusieurs fois la taille de la chaumière. Le sol en était d'onyx et les piliers, d'obsidienne. Derrière elle, s'étendait une vaste cour à ciel ouvert et, au drap noir de la nuit tendu au-dessus d'elles, étaient accrochées des étoiles.

Dans la cour chantait une fontaine dont l'eau pure cascadait du haut d'une statue de sirène extatique. L'eau noire jaillissait de sa bouche bée pour tomber dans le bassin éclaboussé d'étoiles scintillantes qu'elle faisait frémir.

Les trois dames brunes habitaient cette belle demeure qui habitait le miroir noir.

Les vieilles femmes n'étaient autres que les Lilim et Lilim n'était autre que la reine des sorcières, dans ces bois, isolée.

Les trois dames brunes du miroir étaient aussi les Lilim. Mais étaient-elles les remplaçantes des trois vieilles femmes, prêtes à leur succéder, ou n'étaient-elles que leurs doubles ou leurs ombres ? N'y avait-il de réel que cette petite chaumière perdue dans les bois ou les Lilim vivaient-elles, quelque part, dans une belle demeure noire avec une fontaine en forme de sirène qui chantait dans une cour étoilée ? Nul ne le savait. Nul autre que Lilim ne l'aurait pu dire.

Ce jour-là, une des trois vieilles harpies rentra de la forêt avec une hermine à la gorge rougie.

Elle alla chercher la planche à découper toute pleine de poussière, posa sa prise dessus et se saisit d'un couteau bien aiguisé. Elle fit une entaille tout autour des pattes de devant, des pattes de derrière et autour du cou, puis, d'une main crasseuse, dépiauta la bête, comme on sort un gosse de son pyjama, et flanqua la dépouille humide sur la planche.

— Entrailles ? demanda-t-elle d'une voix chevrotante.

— Tant qu'à faire, lui répondit la plus petite, la plus vieille et la plus hirsute des trois femmes, qui se balançait dans son rocking-chair.

La première saisit l'hermine par la tête et l'ouvrit de haut en bas. Rouges, pourpres et violacés, les viscères s'effondrèrent sur la planche à découper, intestins et organes vitaux luisant comme des joyaux humides sur le bois poussiéreux.

La vieille poussa un cri strident :

— Venez vite ! Venez vite !

Elle remua doucement les entrailles de l'hermine avec son couteau et brailla de plus belle.

La vieille qui se balançait dans son fauteuil à bascule se leva. (Dans le miroir, une belle dame brune s'étira et quitta son divan.) La dernière des vieilles femmes, qui s'en revenait de la remise, accourut aussi vite que ses jambes torses le lui permettaient.

— Quoi ? glapit-elle. Qu'est-ce qu'il y a ?

(Dans le miroir, une troisième jeune femme rejoignit les deux autres. Elle avait la poitrine menue mais arrogante et l'œil, d'un noir de jais.)

— Regardez ! fit la première des vieillardes, en pointant la lame de son couteau.

Leurs yeux s'étaient couverts du voile gris de l'âge et elles durent plisser les paupières pour examiner ce qu'on leur désignait.

— Enfin ! soupira l'une d'elles.

— Pas trop tôt ! renchérit une autre.

— Laquelle d'entre nous ? demanda la troisième.

Les trois vieilles fermèrent les yeux et trois mains parcheminées s'abattirent ensemble sur les entrailles de l'hermine écorchée.

Une main fripée s'ouvrit.

— J'ai un rein.

— J'ai le foie.

La troisième main écarta les doigts. C'était celle de la plus vieille des Lilim.

— J'ai le cœur, annonça-t-elle, triomphale.

— Comment comptes-tu voyager ?

— Dans notre vieille carriole tirée par ce que je trouverai à la croisée des chemins.

— Il va te falloir quelques bonnes années.

La plus vieille des vieilles femmes opina du chef.

La plus jeune, celle qui s'en revenait de la remise, se traîna avec peine jusqu'à la commode – une antiquité aussi branlante qu'elle – et, se penchant pour atteindre le tiroir du bas, en sortit une boîte en fer toute rouillée qu'elle apporta à ses sœurs. La boîte était fermée par trois bouts de ficelle, chacun noué d'une façon différente. Chacune des trois femmes défit le sien, puis celle qui était allée chercher la boîte souleva le couvercle.

Quelque chose de doré brillait au fond.

— Pas lerche, soupira la plus jeune des Lilim, qui était déjà hors d'âge quand les bois, où elles avaient élu domicile, dormaient encore au fond de l'océan.

— Une chance qu'on en ait trouvé une autre alors, hein ? répliqua aigrement la plus vieille, qui, sans plus attendre, plongea sa main griffue dans la boîte.

Quelque chose de doré tenta de lui échapper, mais elle l'attrapa, ouvrit la bouche et, tout gigotant et fuyant qu'il fût, le goba.

(Dans le miroir, trois dames brunes se penchèrent, captivées.)

Il y eut alors un frémissement, une secousse au cœur de toute chose.

(Deux dames brunes se penchaient, à présent, dans le miroir noir.)

Dans la chaumière, leurs figures ridées toutes empreintes de jalousie et d'espoir mêlés, deux petites vieilles regardaient une grande et belle femme aux cheveux de jais, aux yeux de braise et aux lèvres vermeilles.

— Diable ! s'écria celle-ci. Que c'est donc sale ici !

Elle se dirigea vers le coffre placé à côté du grand lit, arracha la tapisserie passée qui le recouvrait, l'ouvrit et se mit à fourrager à l'intérieur.

— Et voilà ! s'exclama-t-elle, en brandissant une robe écarlate.

Elle la jeta sur le lit et ôta ses haillons de vieillarde.

À l'autre bout de la pièce, ses deux sœurs la dévoraient des yeux : dépouillée de ses oripeaux, elle avait un corps de déesse.

— Quand je reviendrai avec son cœur, il y aura de la jeunesse à revendre pour tout le monde, annonça-t-elle.

D'un geste négligent, elle glissa à son poignet un bracelet écarlate en forme de serpent qui se mordait la queue, tout en lorgnant dédaigneusement les mentons velus et les orbites creuses des deux vieillardes.

— Une étoile, souffla une des sœurs.

— Une étoile, répéta la deuxième.

— Exactement, dit la reine des sorcières, en ceignant son front d'un diadème d'argent. La première en plus de deux siècles. Et j'ai bien l'intention de nous la ramener.

Elle se pourlécha les lèvres, vernissant d'une langue pur-purine son sourire flamboyant.

— Une pauvre petite étoile tombée du ciel...

Il faisait nuit dans la clairière, au bord de l'étang, et le ciel était piqueté d'étoiles innombrables.

Les lucioles éclaboussaient feuillages et fougères d'étin-celles, telles les lumières clignotantes de quelque étrange et lointaine cité. Une loutre plongea à grand bruit dans le ruisseau qui alimentait l'étang. Une hermine, suivie de toute sa petite famille, se fraya un chemin à travers les broussailles pour s'y abreuver. Un rat des champs trouva une amande par terre et entreprit d'en casser la coque avec ses petites dents pointues, non tant qu'il eût faim, mais parce que, prince victime d'un mauvais sort, il ne pourrait retrouver sa véritable apparence qu'à condition de mâcher l'Amande de la Sagesse. Mais à trop s'empres-ser, on devient imprudent. Quand il vit l'ombre que pro-jetait la lune sur le sol, il était déjà trop tard. Les serres acérées se refermèrent sur lui et l'énorme chouette grise reprit les airs, s'enfonçant dans la nuit.

Le rat des champs lâcha l'amande qui tomba dans le ruisseau et fut emportée par le flot pour être avalée par un saumon. La chouette engloutit le rat des champs en moins de deux, ne laissant que la queue dépasser de son bec, tel un bout de lacet défait. Des soubresauts accompagnés de furieux grognements agitèrent soudain les fourrés. *Un blaireau*, songea la chouette (elle-même sous l'emprise d'un sortilège : elle ne pourrait retrouver sa forme origi-nelle qu'à condition d'avaler un rat des champs ayant lui-même mangé l'Amande de la Sagesse), *ou peut-être un petit ours*.

Les feuilles bruissaient, le ruisseau ruisselait quand, sou-dain, la clairière fut inondée de lumière, une lumière blan-che tombant du ciel, vive, pure et de plus en plus éblouissante. En voyant se refléter dans l'étang cette étin-celante chose toute de lumière d'une blancheur aveu-glante, la chouette prit un virage sur l'aile pour fuir cette partie de la forêt, tandis que les créatures sauvages jetaient autour d'elles des regards terrifiés.

Au début, la lumière céleste ne fut guère plus grande que le disque lunaire, mais elle se mit à enfler, à enfler, tant et si bien que, prise de frissons, la clairière tout entière en tremblait. Chaque créature retenait son souffle et, persuadée qu'elle allait enfin connaître le coup de foudre, chacune des lucioles luisait plus fort qu'elle n'avait jamais lui de toute sa vie... en pure perte.

Et tout à coup...

Il y eut un craquement sec, qui claqua dans la nuit comme un coup de feu, et la lumière qui inondait la clairière disparut.

Enfin presque : une faible lueur pulsait au cœur du bouquet d'amandiers, telle une minuscule nuée d'étoiles scintillant dans l'obscurité.

C'est alors que s'éleva une voix, une voix féminine, claire et haut perchée.

— Oh ! dit-elle, avant d'ajouter tout bas « Merde ! » et de répéter « Oh ! » une nouvelle fois.

Puis elle se tut et la clairière se tut avec elle.

Chapitre
quatre

Une seule bougie, pour y aller, est-ce que tu crois que c'est assez ?

Octobre reculait à chaque pas. En suivant le chemin qui traversait la forêt, sous ces milliards d'étoiles scintillantes et cette grosse lune ronde et blonde comme les blés, Tristan avait l'impression d'entrer en été. Et ce n'étaient certes pas les églantines de la haie vive bordant le sentier qui l'allaient détromper.

Le sommeil commençait à le gagner. Il lutta un moment pour rester éveillé, mais, finalement, rendit les armes : il ôta son manteau, posa son sac – un grand sac de cuir, façon sacoche de médecin, que, vingt ans plus tard, on baptiserait « sac Gladstone » –, fit du premier une couverture ; du second, un oreiller et se coucha.

Avant de s'endormir, il contempla les étoiles : toutes de grâce et de majesté, elles semblaient exécuter un céleste ballet à la chorégraphie d'une infinie complexité. Il se figurait qu'il pouvait même voir leur visage. Comme elles étaient pâles ! Et ce sourire ! Jamais il n'en avait vu de plus doux, un sourire plein d'indulgence, comme si, après avoir si longtemps observé, témoins insoupçonnés, l'agitation du monde et les joies et les peines des minuscules créatures qui le peuplaient, elles ne pouvaient refréner l'amusement qui les gagnait chaque fois qu'un autre de ces petits humains se prenait pour le centre du monde, comme tout un chacun n'y peut manquer.

Et puis, soudain, il s'aperçut qu'il rêvait. Il entrait dans sa chambre qui était aussi sa salle de classe à Wall : Mrs. Cherry tapait sur le tableau noir pour obtenir le silence et Tristan regardait son ardoise pour voir de quelle leçon il était question, mais il ne parvenait pas à déchiffrer ce qu'il avait écrit. Alors, Mrs. Cherry – qui était d'une ressemblance si frappante avec sa mère qu'il se demanda comment il avait pu ne jamais se rendre compte qu'elles étaient une seule et même personne – lui demanda de réciter pour ses petits camarades les dates des rois et reines d'Angleterre...

— Scuse-moi, lui souffla à l'oreille une petite voix velue, tu pourrais pas rêver un peu moins fort ? Tes rêves dégoulinent dans les miens et, si y a quelqu'chose que j'suis fâché avec, c'est bien les dates. Guillaume le Conquerreur : 1 066. Faut pas m'en d'mander plus. Et ça vaut pas une p'tite souris qui tricote des gambettes, si tu veux mon avis.

— Hmm ? grommela Tristan.

— Mets une sourdine, résuma la voix. S'te plaît.

— Désolé, répondit Tristan.

Dès lors, ses rêves ne furent plus qu'un long ruban de nuit.

— P'tit déjeuner ! annonça une voix à son oreille. Champignons frits au beurre avec une p'tite pointe d'ail.

Tristan ouvrit les yeux. Le soleil brillait à travers la haie d'églantines, parsemant l'herbe d'ocelles vert et or. Une odeur flottait dans l'air : une odeur à se damner.

Une gamelle était posée près de lui.

— Maigre pitance, reprit la voix. Régime campagnard. Rien à voir avec c'que s'envoient les gens bien. Mais, pour les gars dans mon genre, un beau champugnon, ça n'a pas d'prix.

Tristan cligna des paupières et plongea la main dans la gamelle. Il en ressortit un gros champugnon qui se balançait entre son pouce et son index. Bigre ! C'était brûlant. Il mordit dedans avec circonspection. Les sucs lui emplirent la bouche. Un délice ! Il n'avait jamais rien mangé d'aussi bon et s'empressa d'en informer son compagnon.

— Trop aimable, répondit la petite créature assise de l'autre côté du feu qui crépitait et fumait dans l'air matinal. Trop aimable, vraiment. Tu sais pourtant, com'moi, qu'c'est rien qu'des champignons sauvages frits et qu'ça n'arrive pas à la ch'ville d'un...

— Est-ce qu'il en reste ? l'interrompit Tristan.

Il ne s'était pas rendu compte qu'il avait une telle faim : il suffit parfois de peu pour réveiller un appétit endormi.

— Ah ça ! c'est c'qu'on appelle avoir des belles maniè-res ! s'exclama la petite créature affublée d'un grand chapeau mou et d'un grand manteau flou. « Est-ce qu'il en reste ? » qu'il dit, comme si c'était des œufs d'caille pochés ou d'la viande de gazelle fumée aux truffes, pas rien qu'un malheureux champugnon qu'a un vague goût d'charogne qui pourrit d'puis une bonne semaine et qu'un chat voudrait même pas r'nifler. C'est ça avoir des manières.

— Vraiment, très sincèrement, je voudrais bien un autre champignon, insista Tristan. Si ce n'est pas trop vous demander.

Le petit homme – si c'était bien un homme, ce dont Tristan doutait fort –, le petit homme, donc, poussa un soupir à fendre l'âme, plongea la lame de son couteau dans la poêle qui grésillait sur le feu et flanqua deux gros champignons dans la gamelle de Tristan.

Tristan souffla dessus, puis les mangea avec les doigts.

— R'gardez-moi ça ! s'écria la petite créature velue, qui semblait hésiter entre consternation et fierté. Ça mange ces champignons-là comme si ça aimait ça, comme si c'était pas que d'la sciure, d'l'armoise et d'la rue qu'ça s'mettait sous la dent.

Tristan se lécha les doigts et jura à son bienfaiteur que c'étaient bien les plus délicieux champignons qu'il ait jamais eu le plaisir et l'avantage de déguster de toute son existence.

— Tu dis ça maint'nant, répondit son hôte, avec une sournoise délectation, mais, c'est pas c'que tu diras dans une heure. Y a fort à parier qu'tes boyaux s'ront pas franchement d'accord et qui te l'fassent savoir, comme la marchande d'poissons quand elle a fait savoir à son amoureux qu'elle aimait pas qu'il tourne autour d'une certaine sirène. Ça s'est entendu d'Garamond à Stormhold. Quel langage ! Les oreilles m'en chauffent encore.

La petite créature velue poussa un profond soupir.

— En parlant d'boyaux, reprit-il, je vais aller vider les miens derrière cet arbre, juste là. M'ferais-tu l'insigne horreur d'garder un œil sur mon sac pendant c'temps-là ? J't'en s'rais infinitésimal'ment r'connaissant.

— Avec plaisir, acquiesça poliment Tristan, imperturbable.

Le petit homme velu disparut alors derrière un chêne. Tristan entendit quelques grognements, puis son nouvel ami réapparut.

— Et voilà, fit-il. J'connais un homme en Paphlagonie qui avalait un serpent vivant tous les matins en s'levant. Il était au moins sûr d'une chose, qu'il disait : qu'rien d'pire pourrait lui arriver d'la journée. Lui ont fait avaler un bol entier grouillant d'mille-pattes avant d'le pendre. P't-être qu'il avait parlé un peu trop vite...

Tristan pria son compagnon de l'excuser, puis alla uriner contre le chêne, au pied duquel il aperçut un petit tas qui n'avait assurément rien de déjections humaines. On aurait dit des crottes de chevreuil ou de lapin.

— Je m'appelle Tristan Thorn, déclara Tristan, en rejoignant son compagnon.

Ce dernier avait déjà tout nettoyé, tout rangé – le feu, les gamelles, la poêle et le reste – et tout fait disparaître dans son grand sac.

Il ôta son chapeau, le posa sur son cœur et leva les yeux vers Tristan.

— Charmé, dit-il.

Il tapota le côté de son sac sur lequel était écrit : charmé, enchanté, ensorcelé et confusqué.

— Fut un temps où j'étais confusqué, lui confia-t-il. Mais tu sais c'que c'est.

Et sur ces bonnes paroles, il se mit en route.

— Hé ! Hé ! l'interpella Tristan, en lui emboîtant le pas. Vous ne pourriez pas ralentir un peu ?

En dépit de son énorme sac (qui rappelait à Tristan le fardeau de Chrétien dans *Le Voyage du pèlerin* – un livre dont Mrs. Cherry leur lisait des extraits tous les lundis matin et qui, bien qu'écrit par un simple rétameur, leur disait-elle, n'en demeurait pas moins un bon livre), le petit homme – Charmé ? Si tel était son nom – s'éloignait de lui aussi vite qu'un écureuil monte à un arbre.

Il rebroussa chemin à toute allure.

— Un problème ? demanda-t-il.

— Je ne peux pas vous suivre, avoua Tristan. Bigre ! Vous marchez drôlement vite !

Le petit homme velu ralentit le pas.

— J'te d'mande pardon, fit-il, tandis que Tristan courait désespérément derrière lui. À force d'être tout seul tout l'temps, j'ai pris l'habitude d'marcher à mon rythme, s'pas.

Ils marchaient côte à côte dans la lumière dorée que tamisaient les feuilles vert tendre de la frondaison, une lumière à la fois douce et éclatante telle qu'on n'en voit qu'au printemps. Tristan se demandait s'ils avaient laissé l'été derrière eux, aussi loin qu'il avait lui-même laissé l'automne. De temps à autre, une fulgurance de couleur dans un arbre ou un buisson attirait son regard. Le petit homme velu disait alors quelque chose du style : « Martin-pêcheur. Monsieur Alcyon qu'on l'appelle. Bel oiseau » ou « Colibri pourpre. Boit l'nectar des fleurs. Voltige » ou « Poulets. Gard'ront leurs distances. Mais faut pas aller les zieuter sous l'nez, ni chercher les ennuis, pasqu'on les trouve toujours avec ces couillons-là. »

Ils s'assirent au bord d'un ruisseau pour déjeuner. Tristan sortit sa miche de pain, ses belles pommes rouges et le fromage que sa mère lui avait donné – qui était devenu aussi dur et friable au toucher qu'aigre et piquant au goût. Quoique leur jetant, tout d'abord, un coup d'œil circonspect, le petit homme les engloutit sans sourciller, puis se lécha les doigts pour récupérer les miettes avant de mâcher sa pomme à grand bruit. Il emplit ensuite sa bouilloire au ruisseau et mit l'eau à chauffer pour le thé.

— Et si tu m'disais c'que tu viens faire ici, s'enquit le petit homme, tandis qu'ils buvaient tranquillement leur thé.

Tristan réfléchit un instant en silence.

— Je viens du village de Wall, répondit-il enfin. Là-bas vit une jeune fille du nom de Victoria Forester, une gente demoiselle à nulle autre pareille. Et c'est à elle et à elle seule que j'ai donné mon cœur. Son visage est...

— Deux yeux ? Un nez ? Une bouche ? Et tout l'toutim ?

— Évidemment.

— Bon, ben, tu peux sauter l'couplet. On f'ra comme si tu l'avais déjà chanté. Alors, quelle bougre d'idiotie cette jeune damoiselle t'a mis en tête de faire pour ses beaux yeux ?

Offusqué, Tristan posa sa tasse en bois et se leva.

— Qu'est-ce qui peut bien vous faire croire, s'indigna-t-il d'un ton qui se voulait aussi méprisant que hautain, que ma bien-aimée m'aurait envoyé entreprendre quelque quête insensée ?

Le petit homme leva vers lui de petits yeux perçants, d'un noir de jais.

— Pasque c'est la seule raison qui peut pousser un p'tit gars comme toi à faire quelqu'chose d'aussi stupide que d'franchir la frontière pour v'nir en Faërie. Les seuls d'vot'monde qui viennent ici sont les ménestrels, les amoureux et les fous. Or, comme t'as pas vraiment l'air d'un ménestrel et qu't'es – pardonne-moi d'te dire ça, mon garçon, mais c'est vrai – aussi banal qu'un bout d'fromage sur une tranche de pain... C'est donc l'amour, si tu veux mon avis.

— Parce que, déclara Tristan, tout amoureux a le cœur d'un fou et l'âme d'un ménestrel.

— Ah oui ? fit le petit homme, incrédule. J'avais jamais r'marqué. Donc, y a une jeune damoiselle. Elle t'aurait pas envoyé ici pour chercher fortune, des fois ? C'était la mode, à une époque. On tombait sans arrêt sur des jouvenceaux errant en quête du trésor que quelqu'pauv'dragon ou malheureux ogre avaient passé des siècles entiers à amasser, pour le leur souffler sous l'nez.

— Non. Non, pas pour faire fortune. C'est plutôt pour tenir une promesse que je lui ai faite. Je... on bavardait ; je lui promettais des choses et on a vu cette étoile filante et je lui ai juré de la lui rapporter. Et l'étoile est tombée... (Il agita la main, désignant une chaîne de montagnes en direction du levant) par là.

Le petit homme velu se gratta le menton. Ou le museau ; oui, ce serait plutôt le museau.

— Tu sais c'que j'ferais à ta place ?

— Non, fit Tristan, saisi d'un fol espoir. Quoi ?

Le petit homme s'essuya le museau.

— Je lui dirais d'aller s'faire voir ailleurs et j'm'en trouv'rais une autre qui m'embrasserait sans m'demander la lune. T'as qu'l'embarras du choix. Y a qu'à s'baisser pour en ramasser une : ça pousse comme du chiendent, dans l'pays d'où tu viens.

— Il n'y en a aucune autre, affirma Tristan avec pompe.

Le petit homme renifla dédaigneusement, plia bagage et se remit en route. Tristan s'empressa de le suivre.

— T'étais sérieux ? lui demanda le petit homme. À propos d'l'étoile tombée du ciel ?

— Oui.

— Eh bien, j'l'ébruiterais pas, si j'étais toi. Y en a des qui f'raient leur chou gras de c'genre d'information. Et pas des plus r'commandables, si tu veux mon avis. Tu f'rais mieux d'garder ça pour toi. Motus... Mais faut pas mentir, hein ? Jamais.

— Qu'est-ce que je dois dire alors ?

— Eh bien, par exemple, si on t'd'mande d'où tu viens, tu pourrais dire « De derrière moi » et si on t'd'mande où tu vas, tu pourrais dire « Devant moi ».

— Je vois, marmonna Tristan, quelque peu sceptique.

Ils avaient de plus en plus de mal à discerner le chemin. Une brise glacée ébouriffa les cheveux de Tristan. Il frissonna. Le sentier semblait les conduire vers un bois de frêles bouleaux blêmes.

— Est-ce que vous croyez que ce sera loin ? demanda Tristan. Jusqu'à l'étoile, je veux dire ?

— Combien de lieues jusqu'à Babylone ? fit le petit homme, rhétorique. (Puis il bougonna :) Ce bois n'était pas là, la dernière fois que j'suis v'nu dans les parages.

— *Combien de lieues, jusqu'à Babylone* ? récita Tristan, tandis qu'ils s'enfonçaient dans les futaies grisâtres.

Trois bonn'vingtaines, mon capitaine.
Une seule bougie, pour y aller,
Est-ce que tu crois que c'est assez ?
Pour y aller, oui ça suffit
Et pour en revenir aussi ?
Oui, si vos pieds sont prestes et lestes,
Une seule bougie et fi du reste.

— C'est bien celle-là, fit le petit homme velu, en tournant la tête de tous côtés comme s'il était préoccupé ou peut-être un peu nerveux.

— Ce n'est qu'une comptine, dit Tristan.

— Qu'une « compt... » » ? Morbleu ! Y en a plus d'un, de c'côté du mur, qui suerait sang et eau, sept ans durant, pour une pareille incantation ! Et là d'où tu viens, on chantonne ça aux chérubins comme un « Dodo, l'enfant do » ou un « Fais dodo Colin mon p'tit frère » sans le moindre scrupule !... As-tu froid, mon garçon ?

— Maintenant que vous m'y faites penser, je crois bien que oui.

— Regarde autour de toi. Tu vois l'chemin ?

Tristan cligna des yeux. Le bois gris semblait absorber la lumière. Il délavait les couleurs, brouillait les distances. Tristan avait cru qu'ils suivaient une sente, mais au moment même où il essayait de la distinguer, elle se mit à scintiller, puis disparut comme une illusion d'optique. Il avait pris cet arbre-ci, cet arbre-là et ce rocher-là comme points de repère mais... il n'y avait plus de chemin, rien que l'obscurité et les arbres blêmes.

— Cette fois, on est bons, murmura le petit homme d'une voix mal assurée.

— Et si nous prenions la fuite ? suggéra Tristan, en ôtant son chapeau melon comme s'il s'apprêtait déjà à détaler.

— Tu pourras toujours prendre tout c'que tu veux, mon garçon, ça chang'ra pas grand-chose à l'affaire, soupira le petit homme, en secouant la tête. On est tombés dans un piège et on aura beau courir dans tous les sens, c'est pas com'ça qu'on s'en sortira.

Il se dirigea vers l'arbre le plus proche – un grand arbre blafard qui ressemblait à un bouleau – et lui flanqua un bon coup de pied. Quelques feuilles tourbillonnèrent, puis quelque chose heurta le sol avec un bruit d'osselets.

Tristan s'en approcha et l'examina. C'était un squelette d'oiseau, bien blanc, bien sec, bien net.

Le petit homme tressaillit.

— J'pourrais app'ler l'Château à la rescousse et tenter un grand roque, dit-il à Tristan. Mais y a personne avec qui j'pourrais roquer qui s'r'trouverait en meilleure posture que nous... C'est pas en volant qu'on peut s'échapper, à en juger par cette chose-là, fit-il, en repoussant le squelette d'un pied qui ressemblait plutôt à une patte. Et les gens dans ton genre ont jamais été fichus d'creuser – non pas qu'ça puisse servir à grand-chose, hein, vu les circonstances...

— Peut-être pourrions-nous nous armer, proposa Tristan.

— Nous armer ?

— Avant qu'ils n'arrivent.

— Avant qu'ils « n'arrivent » ? Mais ils sont déjà là, espèce d'andouille ! C'est les arbres eux-mêmes. On est dans un bois-fantôme.

— Un bois-fantôme ?

— C'est d'ma faute. J'aurais dû faire plus attention où on mettait les pattes. Et maint'nant, t'auras jamais ton étoile et j'aurai jamais ma marchandise. Un jour, un aut'pauv' couillon, perdu dans ces bois, tomb'ra sur nos squelettres, propres comme deux sous neufs, et voilà. C'en s'ra fini de nous.

Tristan regarda autour de lui, dans la pénombre. Il avait certes l'impression que les arbres s'étaient rapprochés, mais il n'aurait pas pu dire qu'il les avait vraiment vus bouger. Il commençait à se demander si le petit homme n'était pas un tantinet dérangé ou s'il ne souffrait pas de quelque excès d'imagination.

C'est alors qu'il ressentit une vive piqûre à la main. Il donna une petite tape, s'attendant à voir un insecte, mais ce n'était qu'une feuille jaunie qui tomba mollement avec un léger bruissement. Sur sa peau enflée apparut une nervure de sang humide. Au même moment, il lui sembla entendre le bois murmurer autour d'eux.

— Qu'est-ce qu'on peut faire ? s'inquiéta-t-il. Il doit bien y avoir quelque chose à faire, tout de même !

— Rien qui m'vienne à l'esprit, en tout cas. Si seulement on pouvait savoir où s'trouve le ch'min... Même un bois-fantôme peut pas faire disparaître complèt'ment le ch'min. Nous l'cacher, oui. Nous en écarter, oui...

Le petit homme haussa les épaules et soupira.

Tristan se frotta le front.

— Je... Je sais, moi, où se trouve le chemin, dit-il, en pointant le doigt. C'est par là.

Les petits yeux de jais scintillèrent.

— T'es sûr ?

— Oui, monsieur. Il faut passer à travers ce taillis et monter un peu plus haut sur la droite.

— Comment tu l'sais ?

— Je le sais.

— Bon. Alors, allons-y !

Le petit homme épaula son fardeau et se mit à courir, assez lentement tout de même pour que Tristan pût le suivre, en dépit de son grand sac qui lui battait les mollets, de son cœur qui lui cognait dans la poitrine et de sa respiration qu'il avait grand-peine à reprendre.

— Non ! Pas par là ! À gauche ! cria Tristan.

Les branches et les épines déchiraient leurs vêtements sans parvenir toutefois à freiner leur course.

Les arbres semblaient avoir serré les rangs pour former un infranchissable rempart. Les feuilles tombaient autour d'eux en de tempétueux tourbillons, piquant et fouettant Tristan au visage, coupant et tailladant ses vêtements. Il gravit la colline, balayant les feuilles de la main droite, écartant et cassant les branches avec son sac de la main gauche.

Le silence fut tout à coup brisé par une plainte. C'était la voix du petit homme velu. Il s'était arrêté net, cloué sur place, et, la tête rejetée en arrière, s'était mis à hurler à la face du ciel.

— Courage ! lui dit Tristan. Nous y sommes presque.

Il attrapa le petit homme par la main et le tira derrière lui.

Et, soudain, ils se retrouvèrent sur le droit chemin : une allée d'herbe drue courant à travers les bois gris.

— Sommes-nous... en sécurité... maintenant ? haleta Tristan, en regardant autour de lui avec appréhension.

— On est en sécurité tant qu'on quitte pas le ch'min, répondit le petit homme velu, en posant son fardeau avec un soupir de soulagement.

Puis il s'assit par terre et jeta un coup d'œil circulaire. Les arbres blêmes bougeaient sans qu'il y ait le moindre souffle de vent. Il sembla à Tristan qu'ils frémissaient de rage.

Son compagnon s'était mis à trembler. Ses petits doigts velus ratissaient l'herbe drue. Il leva des yeux suppliants vers Tristan.

— T'as rien qui r'ssemblerait à une bouteille de quelqu'chose de fort sur toi, j'suppose ? Ou, d'aventure, une théière pleine de bon thé bien chaud ?

— Non, répondit Tristan. J'ai peur que non.

Le petit homme renifla et se mit à tripoter le fermoir de son énorme sac.

— Retourne-toi, dit-il à Tristan. Pas d'triche, hein ?

Tristan se retourna.

On remua. On farfouilla. Il y eut alors le claquement sec d'un loquet que l'on ferme.

— Tu peux t'retourner si tu veux.

Le petit homme tenait à la main une bouteille émaillée et s'énervait sur le bouchon.

— Hum ! Voulez-vous que je vous donne un coup de main ? proposa Tristan, en espérant que le petit homme ne se formaliserait pas de son audace.

Scrupules bien inutiles : son compagnon s'empressa de lui fourguer la bouteille dans les mains.

— Vas-y. T'as les doigts qu'y faut pour ça.

Quand Tristan ôta le bouchon, il sentit quelque chose d'enivrant, comme un parfum de miel auquel se serait mêlée une odeur de feu de bois et de clous de girofle. Il rendit la bouteille au petit homme.

— C't'un crime de boire quelqu'chose d'aussi bon et d'aussi rare au goulot, marmotta ce dernier.

Il détacha la tasse de bois pendue à sa ceinture et y versa, d'une main tremblotante, un peu de liquide ambré qu'il huma avec délice. Puis il sirota lentement le mysté-rieux breuvage et sourit, découvrant des petites dents pointues.

— Aaaaah ! Ça va mieux.

Il tendit la tasse à Tristan.

— Bois ça à p'tites gorgées, tout douc'ment, lui recom-manda-t-il. Ça coûte les yeux d'la tête, une bouteille comme ça. J'ai dû donner deux gros diamants bleus, un merle chanteur mécanique et une écaille de dragon pour l'avoir, celle-là.

Tristan obtempéra. Il sentit alors une vague de chaleur le submerger de la racine des cheveux à la pointe des pieds. Il avait l'impression que des bulles minuscules folâ-traient sous son crâne.

— C'est du bon, hein ?

Tristan hocha la tête.

— Trop bon pour des gars comme toi et moi, j'en ai bien peur. N'empêche. Ça r'quinque dans les mauvais moments. Et c'en est un fameux, d'mauvais moment, çui-là. Allez, sortons d'ces maudits bois, décréta-t-il soudain. Par où, au fait ?

— Par ici, affirma Tristan, en pointant l'index vers la gauche.

Le petit homme reboucha la bouteille, la glissa dans sa poche, puis épaula son sac et les deux compères se remirent en route, en suivant l'allée d'herbe drue qui courait à travers bois.

Au bout de quelques heures de marche, les arbres blêmes commencèrent à s'espacer et ils ne tardèrent pas à sortir du bois-fantôme. Ils cheminaient, à présent, entre deux petits murets de pierres sèches, longeant un haut talus. Quand Tristan regarda derrière lui, il ne vit aucune trace du moindre boqueteau. Il n'y avait guère là que de douces collines couronnées de bruyère.

— On peut faire halte, ici, lui dit bientôt son compagnon. Y faut qu'on cause, tous les deux. Assieds-toi.

Il se délesta de son énorme fardeau, puis grimpa dessus tandis que Tristan prenait place sur un rocher, au bord de la route. Ainsi juché sur son perchoir, le petit homme dominait son auditoire.

— Y a là, com'qui dirait, un truc qui m'chiffonne, annonça-t-il en guise de préambule. Allez, dis-moi maint'nant : d'où tu viens ?

— De Wall, répondit Tristan. Je vous l'ai déjà dit.

— C'est qui tes parents ?

— Mon père s'appelle Dunstan Thorn et ma mère Daisy Thorn.

— Hmmm. Dunstan Thorn... Hmmmm. J'ai déjà rencontré ton père. Il m'a hébergé, une nuit. Ce s'rait pas l'mauvais bougre s'il pouvait s'arrêter d'parler quand y a un malheureux qu'essaye d'piquer un p'tit roupillon à côté.

Il se gratta le museau.

— C'est pas ça qu'explique... Y aurait pas quelqu'chose de bizarre dans ta famille, des fois ?

— Ma sœur Louisa remue les oreilles.

Le petit homme velu remua les siennes, qu'il avait grandes et poilues.

— Non, c'est pas ça, trancha-t-il. J'avais plutôt dans l'idée quelqu'chose comme une grand-mère qu'aurait été une enchant'resse célèbre ou un oncle qu'aurait été un proéminent sorcier ou une paire de fées quelqu'part dans l'arbre généalogique, hum ?

— Pas que je sache.

Le petit homme résolut alors de changer son fusil d'épaule.

— C'est où Wall ?

Tristan pointa l'index.

— Où s'trouvent les Collines Aléatoires?

Une fois encore, Tristan pointa le doigt sans hésiter.

— Où s'trouvent les Îles Catavariannes?

Tristan indiqua le sud-ouest. Il ne soupçonnait même pas qu'il pût exister des Collines Aléatoires ou des Îles Catavariannes, avant que le petit homme ne les ait mentionnées, mais il était tout aussi certain de leur emplacement que de celui de son propre nez.

— Hmmmm. Et maint'nant, voyons voir. Sais-tu où s'trouve Son Immensité le Free-Martin Musqué?

Tristan secoua la tête.

— Sais-tu où s'trouve la Citadelle Transluminescente de Son Immensité le Free-Martin Musqué?

Tristan pointa l'index avec assurance.

— Et si j'te disais Paris? Paris, en France?

Tristan réfléchit un moment en silence.

— Eh bien, si Wall est par là, je suppose que Paris doit se trouver à peu près dans la même direction, non?

— Voyons voir, fit le petit homme velu, qui monologuait tout autant qu'il s'adressait à son compagnon. Tu sais où s'trouvent certains endroits en Faërie, mais pas dans ton propre monde, à part Wall, qui est à la frontière. Tu n'sais pas où s'trouvent les gens... mais... dis-moi, mon garçon, sais-tu où elle se trouve, cette étoile que tu cherches?

Tristan désigna immédiatement l'Orient.

— Par là.

— Hmmm. C'est bien. Mais ça explique toujours rien de rien. T'as pas faim?

— Un peu. Et puis je suis en lambeaux, fit Tristan, en passant le doigt à travers les déchirures de son pantalon et de son manteau, là où les branches et les épines l'avaient agrippé et où les feuilles l'avaient tailladé, tandis qu'il s'enfuyait. Et je ne parle même pas de mes bottes!

— Qu'est-ce qu'y a là-d'dans? s'enquit le petit homme velu, en montrant le sac de Tristan, que ce dernier s'empressa d'ouvrir.

— Des pommes. Du fromage. Une demi-miche de pain. Un pot de pâté d'anchois. Mon canif. J'ai aussi des sous-vêtements de rechange et deux ou trois paires de chaussettes de laine. J'aurais peut-être dû prendre une ou deux chemises et un pantalon de plus...

— Garde l'pâté, lui répondit son compagnon, avant de répartir rapidement le reste des vivres en deux parts égales. J'te dois une fière chandelle, dit-il, en mâchant une pomme. Un truc comme cha, cha ch'oublie pas. D'abord, on va ch'occuper d't'habiller et, après, on va t'envoyer chercher ton étoile. D'ac ?

— C'est trop aimable à vous, le remercia Tristan, avec, dans les yeux, une lueur d'appréhension.

— Bien, dit le petit homme velu. Première chose : une couverture.

Le soleil se leva sur le carrosse des trois seigneurs de Stormhold descendant la petite route de montagne escarpée. Les six étalons noirs dodelinaient de la tête et les plumes noires de leurs panaches se balançaient en cadence. La peinture noire du carrosse était encore fraîche et chacun des trois seigneurs de Stormhold portait le deuil : Primus, une longue robe monacale noire ; Tertius, un sobre costume de marchand ; quant à Septimus, il arborait un pourpoint et des chausses noirs, ainsi qu'un large chapeau noir à plume noire et ressemblait, à s'y méprendre, à un de ces assassins aux allures de dandy tout droit sorti d'une pièce historique élisabéthaine de second ordre.

Les trois seigneurs de Stormhold se surveillaient du coin de l'œil : le premier, dans l'expectative ; le deuxième, sur la défensive et le dernier, d'une indifférence inexpressive. Ils ne se disaient rien. S'il avait été envisageable de contracter une quelconque alliance, Tertius se serait probablement rangé aux côtés de Primus contre Septimus. Mais, en l'occurrence, il était absolument hors de question qu'il pût exister un accord d'une telle nature – ou de quelque autre nature que ce soit, d'ailleurs.

Le carrosse cahotait avec fracas.

Il ne s'arrêta qu'une fois pour que chacun de ses trois occupants puisse se soulager, puis il reprit la route. Les trois seigneurs de Stormhold étaient allés coucher la dépouille de leur père dans le Caveau des Ancêtres. Leurs défunts frères avaient assisté à la scène depuis l'entrée, mais aucun n'avait fait le moindre commentaire.

La nuit tombait quand le cocher cria « Nottaway ! » avant de garer son attelage devant une auberge délabrée qui semblait avoir été construite sur les ruines d'une chaumière de géant.

Les trois seigneurs de Stormhold descendirent du carrosse et se dégourdirent les jambes. Derrière les carreaux en culs de bouteille, des visages les observaient.

L'aubergiste, un gnome atrabilaire affligé d'un exécrable caractère, alla jeter un coup d'œil à la porte.

— Va falloir aérer les lits et mettre un bon ragoût de mouton sur le feu, annonça-t-il à pleine voix.

— Combien d'lits ? demanda Létitia, la femme de chambre, du haut de l'escalier.

— Trois, répondit le gnome. Je parie qu'ils enverront leur cocher dormir avec les chevaux.

— Trois ! Tu parles ! chuchota Tilly, la serveuse, à Lacey, le valet d'écurie. Comme si tout l'monde pouvait pas voir qu'ils sont sept, piqués là au milieu d'la route, tous ces beaux messieurs !

Mais, quand les seigneurs de Stormhold franchirent le seuil de l'auberge, informant, au passage, leur hôte que le cocher dormirait aux écuries, ils n'étaient bel et bien que trois.

Ils soupèrent d'un ragoût de mouton et de belles miches de pain de campagne encore tiède, si fraîches que de petits jets de vapeur s'échappaient de leur croûte quand on les rompait. Chacun des trois convives commanda une bonne bouteille de vin de Baragognie (une bouteille pleine, car aucun n'aurait voulu en partager une avec ses frères, ni même permis qu'une seule goutte fût versée dans un godet). Ce qui scandalisa le gnome qui était d'avis – quoiqu'il se gardât bien d'en rien dire devant ses clients – qu'on devait laisser au vin le droit de respirer.

Le cocher vida son écuelle de ragoût, but deux chopes de bière, puis alla se coucher. Les trois seigneurs de Stormhold gagnèrent, quant à eux, leurs chambres respectives et barrèrent leur porte.

Tertius avait glissé une pièce d'argent dans la main de la femme de chambre lorsqu'elle était venue bassiner son lit. Aussi ne fut-il pas surpris quand, peu avant minuit, on gratta à sa porte.

Lorsqu'il ouvrit, Létitia lui fit la révérence, un petit sourire timide aux lèvres. Elle ne portait qu'une longue chemise de nuit blanche et avait une bouteille de vin à la main.

Il referma la porte derrière elle, remit soigneusement l'épar en place et l'entraîna vers le lit où, après lui avoir fait ôter sa chemise, avoir admiré son visage et tous les détails de son anatomie à la lueur d'une chandelle, lui avoir embrassé le front, les lèvres, les seins, le nombril et les orteils et après avoir mouché ladite chandelle, il lui fit l'amour en silence au clair de lune.

Quelque temps plus tard, il grogna, puis se tint coi.

— Là, mon chou, souffla Létitia. C'était bon ?

— Oui, répondit Tertius, avec un laconisme prudent, comme s'il craignait quelque piège caché sous la question d'apparence anodine.

— P't-être que tu voudrais r'mettre ça avant que j'parte ?

Pour toute réponse, Tertius pointa l'index sur son entre-jambe. Létitia pouffa.

— On peut le r'quinquer en un clin d'œil, si y a qu'ça, gloussa-t-elle, en se saisissant de la bouteille de vin qu'elle avait posée à côté du lit.

Elle la déboucha et la tendit à Tertius qui lui adressa un petit sourire goguenard et but une grande rasade avant de l'attirer contre lui.

— Ça fait du bien, hein ? commenta-t-elle. Et, maint'nant, mon chou, laisse-moi t'montrer comment j'aime ça, moi... Mais ! qu'est-ce t'as donc ?

Le souffle court et les yeux exorbités, Lord Tertius de Stormhold se balançait d'avant en arrière sur le lit, en se tenant le ventre.

— Ce vin, haleta-t-il. Où l'as-tu pris ?

— C'est ton frère, répondit Letty. J'l'ai rencontré dans les escaliers. Il m'a dit qu'c'était un bon fortifiant et qu'y avait rien d'mieux pour remonter la mécanique, qu'avec ça il nous garantissait une nuit qu'on s'rait pas près d'oublier.

— La preuve, gémit Tertius dans une plainte.

Il se tordit une fois à droite, une fois à gauche, une deuxième fois à droite, puis se raidit, figé comme une statue.

Tertius entendit bien Létitia crier, mais ses hurlements semblaient lui parvenir à des lieues et des lieues de distance. Il sentait quatre présences familières à ses côtés, debout, dans l'ombre, près du lit.

— Elle était très belle, murmura Secundus.

Et Létitia crut entendre les rideaux bruisser.

— Septimus est vraiment très habile, reconnut Quintus. C'était le même poison de sa fabrication qu'il avait mélangé à mon plat d'anguilles.

Et Létitia crut entendre le vent hurler dans la montagne.

Elle ouvrit la porte à toute la maisonnée, alertée par ses cris, et l'auberge fut passée au peigne fin. Mais Lord Septimus demeurait introuvable et un des étalons noirs avait disparu des écuries (où le cocher dormait à poings fermés, ronflant comme un poêle, tant et si bien que personne ne put le réveiller).

Lord Primus était de fort méchante humeur quand il se leva le lendemain matin.

Il s'opposa pourtant à l'exécution de Létitia, arguant qu'elle avait été victime de la félonie de Septimus au même titre que Tertius, mais décréta qu'elle devrait accompagner la dépouille de son frère jusqu'au château de Stormhold.

Il lui laissa un cheval pour transporter le corps et une bourse bien remplie, assez, du moins, pour payer les services d'un villageois de Nottaway qui veillerait sur elle jusqu'à destination – une façon de s'assurer qu'aucun loup ne ripaillerait du cadavre de son frère, ni de sa monture – et pour payer les gages du cocher quand il daignerait se réveiller.

Puis, seul dans son carrosse tiré par quatre étalons noirs, Lord Primus quitta le village de Nottaway, dans une disposition d'esprit fort altérée et même significativement plus mauvaise que lorsqu'il y était arrivé.

Quand Brevis parvint à la croisée des chemins, il tenait en main une corde. Au bout de cette corde était attaché un bouc à la longue barbichette, aux cornes pointues et aux yeux jaunes à se signer. Brevis emmenait ledit bouc pour le vendre au marché.

Ce matin-là, la mère de Brevis avait posé sur la table un radis et lui avait dit :

— Fils, voici tout ce que j'ai réussi à arracher à la terre aujourd'hui. Tout ce que nous avions planté a pourri sur pied ; tout ce que nous avions à manger est déjà épuisé et il ne nous reste plus rien à vendre, sauf le bouc. Je veux donc que tu lui passes une corde autour du cou et que tu l'emmènes au marché pour le vendre à un fermier. Avec l'argent que tu auras tiré de la vente du bouc – et tu n'en demanderas pas moins d'un florin, tu m'entends ? –, tu achèteras une poule, du grain et des navets. Et peut-être qu'avec un peu de chance nous ne mourrons pas de faim cette année.

Brevis avait donc longuement mâché son radis – qui était dur comme du bois et piquait la langue comme du piment – et avait passé le reste de la matinée à courir après le bouc, dans son enclos. Il y avait gagné un coup dans les côtes et une morsure à la cuisse, mais, finalement – avec l'aide d'un rétameur de passage –, avait réussi à attraper le maudit bouc, assez longtemps, du moins, pour lui passer une corde autour du cou. Puis, abandonnant le rétameur à ses blessures et aux bons soins de sa mère, il avait entrepris d'emmener la bête jusqu'au marché.

Par moments, le bouc se mettait à charger bille en tête et Brevis se retrouvait traîné derrière lui, freinant des quatre fers dans un nuage de poussière, jusqu'à ce que l'animal décide – subitement, sans prévenir et sans raison apparente, du moins aucune que Brevis pût concevoir – de s'arrêter net. Alors, Brevis se redressait et se remettait à tirer le quinteux animal qui refusait d'avancer.

Aussi, quand Brevis parvint à la croisée des chemins, en lisière de forêt, traînant toujours derrière lui un bouc pour le moins récalcitrant, était-il en sueur, affamé et meurtri. Une femme se trouvait là : une longue dame brune coiffée d'un voile pourpre retenu par un diadème d'argent et vêtue d'une robe dont le rouge écarlate s'accordait parfaitement à celui de ses lèvres vernissées.

— Comment t'appelles-tu, mon garçon ? lui demandat-elle, d'une voix suave comme du miel.

— Je m'appelle Brevis, m'dame, répondit Brevis, qui, tout en lui parlant, avait remarqué, derrière son interlocutrice, une chose fort singulière : une petite carriole aux brancards vides.

Il se demandait comment elle avait bien pu s'y prendre pour arriver jusque-là.

— Brevis, roucoula la dame brune. Quel joli nom ! Accepterais-tu de me vendre ton bouc, mon petit Brevis ?

Brevis hésita.

— Ma mère m'a dit que je devais l'emmener au marché pour le vendre contre une poule, du grain et des navets, répondit-il. Et de lui ramener la monnaie.

— Combien ta mère t'a-t-elle dit de demander pour ce bouc ? s'enquit la dame en rouge.

— Un florin, pas moins.

La dame tendit la main vers lui avec un sourire. Quelque chose de doré brillait au creux de sa paume.

— Eh bien, moi, je vais te donner cette guinée d'or, lui annonça-t-elle. Assez pour acheter un poulailler entier et une bonne centaine de boisseaux de navets.

Le garçon la regardait, bouche bée.

— Marché conclu ?

Brevis hocha la tête.

— Tenez ! dit-il, en lui présentant la longe du bouc.

Obnubilé par les flots d'or et de navets qui cascadaient devant ses yeux écarquillés, il n'aurait pu articuler un mot de plus.

La belle dame prit la corde, puis posa un index sur le front du bouc, juste au milieu, entre ses yeux jaunes, et lâcha la corde.

Brevis s'attendait à voir le bouc foncer vers la forêt ou sur une des routes qui se rejoignaient à la croisée, mais l'animal resta où il était, comme cloué sur place. Brevis tendit alors la main pour recevoir sa pièce d'or.

La dame l'examina en détail, depuis ses pieds tout crottés jusqu'à ses cheveux ras trempés de sueur, et le gratifia d'un second sourire enjôleur.

— Tu sais, lui dit-elle, je crois qu'une paire aurait nettement plus d'allure qu'un seul. Qu'en penses-tu ?

Brevis ignorait de quoi elle voulait parler et ouvrait déjà la bouche pour le lui dire quand elle lui posa un long doigt fuselé entre les deux yeux. Il s'aperçut, alors, qu'il ne pouvait plus rien dire du tout.

La femme brune n'eut qu'un geste à faire pour que Brevis et le bouc se précipitent entre les brancards. Brevis fut, alors, stupéfait de constater qu'il marchait à quatre pattes et n'était guère plus grand que l'animal qui lui tenait compagnie.

La sorcière fit claquer son fouet et la carriole prit la route, tirée par une paire de boucs blancs parfaitement assortis.

Ayant pris le manteau, la veste et le pantalon déchirés de Tristan, qu'il laissait emmitouflé dans une couverture, le petit homme velu s'en était allé au village voisin niché au creux d'une vallée que cernaient trois collines veloutées de bruyère.

Assis par terre, goûtant la douceur vespérale, Tristan l'attendait.

De petites lumières scintillèrent dans le buisson d'aubépine derrière lui. Il pensa avoir affaire à des lucioles ou à des vers luisants, mais, en les examinant de plus près, s'aperçut qu'il s'agissait de créatures que leur silhouette et leur physionomie apparentaient aux humains, à ceci près qu'elles étaient minuscules et voltigeaient de branche en branche comme des colibris.

Il toussota poliment. Une vingtaine de paires d'yeux se posa sur lui. La plupart des petites créatures s'évanouirent dans la nature ; certaines se replièrent à la cime du buisson d'aubépine, tandis qu'une poignée, sans doute plus braves que les autres, voletaient vers lui.

C'est alors que, dans un joyeux tintinnabulement de clochettes, elles se mirent à rire, en le montrant du doigt. Avec ses vieilles bottes et sa couverture, en sous-vêtements et chapeau melon, Tristan était devenu la risée du petit peuple ailé. Vexé, il s'empourpra et s'enroula plus étroitement dans son semblant de dignité blessée.

Une des créatures se mit alors à chanter :
Bisque ! Bisque ! le benêt !

Dans sa couverture enroulé
Un grand benêt s'était lancé
Dans une quête insensée
Pour une étoile rapporter

En Faërie s'aventurait
Comme s'il se croyait dans son pré
Lâche donc ta couverture, benêt
Que l'on puisse voir qui tu es !

Et un autre entonna :
Tristan Thorn
Tristan Thorn
Qui, de sa naissance, ignore tout
À fait une promesse de fou
Et en guenilles et sans le sou,

Le voilà triste comme un pou
Mais loin de lui faire les yeux doux
Sa belle rira plus fort que nous
Wistran
Bistran
Tristan
Thorn.

— Du balai, stupides créatures ! glapit Tristan, les joues en feu. Et, n'ayant rien d'autre à portée de la main, il leur jeta son chapeau pour les chasser.

De sorte qu'à son retour de Réjouissance – puisque tel était le nom du village voisin (dont on pouvait se demander pourquoi on l'avait baptisé de la sorte, d'autant que l'endroit était des plus sinistres et, de mémoire d'homme, l'avait toujours été), le petit homme trouva notre Tristan, emmitouflé dans sa couverture près d'un buisson d'aubépine, broyant du noir et se lamentant sur la perte de son beau chapeau.

— Ils ont dit des méchantes choses sur ma bien-aimée, récriminait-il. Sur Miss Victoria Forester. Comment ont-ils osé ?

— Bah ! le p'tit peuple est capable de tout, répondit son ami. Et ça raconte des bêtises à la pelle. Mais ça dit aussi des tas d'choses pleines d'bon sens. Si t'y fais attention, c'est à tes risques et périls. Mais, si tu fais la sourde oreille, c'est à tes risques et périls tout pareil.

— Ils ont dit que ma bien-aimée se moquerait de moi.

— Y z'ont dit ça ? Vraiment ? fit le petit homme velu, tout en étalant sur l'herbe des vêtements de toutes sortes.

Même dans la pénombre, Tristan s'aperçut immédiatement que lesdits vêtements ne ressemblaient en rien à ceux qu'il avait quittés quelques heures plus tôt.

Au village de Wall, les hommes s'habillaient de brun, de gris ou de noir ; et même le plus rouge des foulards, arboré par le plus rubicond des fermiers, ne tardait pas à prendre une teinte plus convenable : le soleil et la pluie s'en chargeaient. Tristan regardait les étoffes rouge écarlate, jaune canari et orange vif avec incrédulité. À ses yeux, ces oripeaux tenaient davantage de costumes de saltimbanques que de la mise de gens de bien. Ils semblaient tout droit sortis du coffre à jouets de son cousin Joan.

— Et mes habits ? lâcha-t-il, incertain.

— Mais, les voilà, lui répondit fièrement le petit homme. Y sont à toi maint'nant. J'ai fait du troc. Cette matière-là est d'bien meilleure qualité – elle se déchir'ra pas comme l'autre et résist'ra mieux aux accrocs, tu vois ? – et y sont ni élimés, ni ravaudés, ni rien et, par-d'ssus l'marché, tu te f'ras pas autant remarquer. C'est c'que les gens portent dans l'coin, tu comprends.

Tristan envisagea très sérieusement de finir sa quête enveloppé dans une couverture, comme un aborigène qu'il avait vu dans un de ses livres d'école, puis, avec un soupir résigné, il ôta ses bottes, laissa tomber la couverture sur l'herbe et, suivant à la lettre les directives du petit homme velu, (Non, non, p'tit, ça, ça va par-dessus ça. Miséricorde ! mais qu'est-ce qu'on leur apprend donc, de nos jours ?), fut bientôt habillé de neuf.

Ses nouvelles bottes lui allaient nettement mieux que les anciennes et ses nouveaux habits étaient vraiment de beaux habits. Bien que, selon le dicton, l'habit ne fasse pas le moine et que beau plumage ne fasse point bel oiseau, il arrive qu'il mette un peu de piquant pour relever la sauce et le Tristan Thorn, vêtu d'écarlate et de jaune canari, n'était pas le même homme que le Tristan Thorn vêtu de son grand manteau et de son costume du dimanche. Il y avait, dans sa démarche, une assurance et, dans ses gestes, une désinvolture qu'il n'y avait pas auparavant. Il allait, désormais, tête haute et avait, dans les yeux, une petite étincelle qui ne s'y trouvait pas quand il portait encore un chapeau melon.

Ils n'avaient pas fini de dîner – le petit homme velu avait rapporté de Réjouissance une truite fumée, des petits pois fraîchement écossés, deux gâteaux aux raisins et une bouteille de petite bière – que Tristan se sentait déjà parfaitement à son aise dans sa nouvelle tenue.

— Maint'nant, voyons, reprit le petit homme velu. Tu m'as sauvé la vie, p'tit, là-bas, dans l'bois-fantôme, et ton père m'a rendu un fier service, dans l'temps, avant qu'tu sois né, et faudrait pas qu'on vienne à dire que j'suis du genre à pas payer mes dettes...

Tristan commença à protester, alléguant qu'il avait déjà fait pour lui plus qu'il ne devait, mais, ignorant l'interruption, le petit homme velu poursuivit :

— ... alors j'me d'mandais... Tu sais où elle s'trouve ton étoile, pas vrai ?

Tristan pointa l'index sans hésiter dans l'obscurité.

— Bien. Et maint'nant, dis-moi, à quelle distance elle est d'ici, ton étoile ? Tu l'sais ça ?

Bien qu'il ne se soit, jusqu'alors, jamais posé la question, Tristan s'entendit répondre :

— En ne faisant halte que pour dormir, un homme pourrait marcher sans s'arrêter, traverser d'un pas égal montagnes infestées de pièges et déserts torrides, qu'il n'atteindrait toujours pas l'endroit où l'étoile est tombée, avant que la lune n'ait accompli l'intégralité de son cycle au moins une bonne demi-douzaine de fois.

Tristan cligna des yeux, stupéfait. Voilà qui ne ressemblait en rien au langage qu'il avait l'habitude d'employer !

— C'est bien c'que j'pensais, maugréa le petit homme velu, en tirant son gros sac pour se plier en deux pardessus, de façon que Tristan ne pût voir comment il l'ouvrait. Et c'est pas comme si t'étais l'seul à la chercher, encore. Tu t'souviens du conseil que j't'ai donné ?

— À propos du trou que je devais creuser pour ensevelir mes besoins ?

— Non, pas çui-là.

— Que je ne devrais jamais dire à personne ni mon vrai nom ni ma destination ?

— Non, pas çui-là non plus.

— Quoi alors ?

— *Combien de lieues jusqu'à Babylone* ? récita le petit homme.

— Ah oui ! Celui-là.

— *Une seule bougie, oui ça suffit et pour en revenir aussi.* Seul'ment voilà, tout est dans la cire, tu comprends. La plupart des bougies n'tiendraient pas la distance. C'est qu'il m'en a fallu, du temps, pour la trouver, celle-là !

Et, ce disant, il tira de son sac un trognon de bougie, de la taille d'une petite pomme, et le tendit à Tristan.

Tristan examina l'objet en silence, sans lui trouver rien que de très ordinaire. C'était certes une chandelle de cire et non de suif, mais elle était déjà fort usée et avait presque entièrement fondu. La mèche était déjà bien consumée, elle aussi : un minuscule appendice dur, noir et tout rabougri.

— Qu'est-ce que je suis censé faire avec ça ?

— Chaque chose en son temps, répondit le petit homme velu, en plongeant de nouveau la patte dans son sac. Tiens, prends ça aussi. Ça t'sera utile.

Le don du petit homme accrochait la lumière et brillait dans la clarté lunaire. Tristan le prit. C'était glissant et froid.

— Qu'est-ce que c'est ?

— Le truc habituel : souffle de chat, écailles de poisson et rayon d'lune piégé sur un bief, le tout fondu, coulé et forgé par les nains. T'en auras besoin pour ram'ner ton étoile.

— Ah bon ?

— Oh oui !

Il s'agissait, à dire vrai, d'une fine chaîne d'argent avec une boucle à chaque extrémité.

— Où vais-je la mettre ? Il n'y a pas de poche dans ces maudits vêtements sans poches !

— Enroul'-la autour d'ton poignet tant qu'tu n't'en sers pas. Comme ça, tu vois... Je t'signale tout d'même que tu as une poche sous ta tunique, regarde...

Tristan découvrit la poche secrète. Elle était pourvue d'une boutonnière à laquelle il accrocha le perce-neige que son père lui avait donné quand il avait quitté Wall. Il l'avait toujours plus ou moins considéré comme une sorte de porte-bonheur. Quant à savoir s'il lui avait vraiment servi à quelque chose... *Me porte-t-il vraiment chance ?* se demandait-il. *À moins que ce ne soit le contraire...*

Tristan se leva, serrant fermement son sac dans son poing.

— Bon, maint'nant, enchaîna le petit homme velu, voilà c'que tu vas faire : prends la bougie dans ta main droite – j'te l'allumerai – et marche vers ton étoile. Tu t'serviras d'la chaîne pour la ram'ner ici. Y reste pas beaucoup d'mèche, alors tu f'rais mieux d'te grouiller. Traîne pas en route, p'tit, ou tu pourrais bien l'regretter. *Le pied leste et preste*, hein ?

— Je... je ferai de mon mieux, bredouilla Tristan.

Puis, figé comme une statue et le cœur gonflé d'espoir, il attendit la suite du programme avec impatience. Le petit homme velu passa alors la main au-dessus de la bougie. Aussitôt, une petite flamme jaillit, une flamme jaune sur le dessus et bleue en dessous. Il y eut, soudain, une violente rafale de vent. La petite flamme ne vacilla même pas.

Tristan prit alors la bougie et se mit immédiatement en route, marchant droit devant lui. La clarté de la bougie semblait illuminer le monde : chaque arbre, chaque buisson et jusqu'au moindre brin d'herbe.

D'une seule enjambée, il se retrouva sur les berges d'un lac que la flamme de sa chandelle embrasa sur toute sa surface, tel un miroir étincelant. Encore un pas et il se retrouva dans la montagne, cerné de hauts pics solitaires, et découvrant, à la clarté de sa bougie, les créatures des cimes. Puis il s'aperçut soudain qu'il marchait dans les nuages. Curieusement, et bien que d'une matérialité toute relative, cirrus, stratus et cumulus supportaient aisément son poids. Puis, il se retrouva sous terre, cramponné à sa bougie qui, de sa flamme, vernissait les parois humides des grottes. Et voici qu'à présent, il traversait de nouveau les montagnes, puis foulait le sentier sinueux d'une vaste et profonde forêt. C'est là qu'une carriole tirée par deux boucs blancs attira son regard. Elle était conduite par une femme en robe rouge qui, au premier coup d'œil et pour le peu qu'il en vît, ressemblait à l'image que l'on donnait de Boadicée dans ses livres d'Histoire. Une nouvelle enjambée et il se retrouva dans un vallon touffu d'où lui parvenait le rire de l'eau qui court en s'éclaboussant dans un petit ruisseau.

Il avança encore d'un pas, sans toutefois quitter le vallon. Il renouvela l'expérience et obtint le même résultat. Il était entouré de hautes fougères, d'ormes et d'une profusion de digitales. Il leva la tête : la lune s'était couchée. Il brandit alors sa bougie cherchant quelque chose : un bout de roche, peut-être, ou une gemme qui pourrait ressembler à une étoile tombée du ciel. Sans résultat.

Il entendit pourtant quelque chose, en dehors du murmure du ruisseau : un reniflement et une déglutition sonore. Autant dire quelqu'un qui tentait de retenir ses larmes.

— Hello ? fit-il.

Les reniflements cessèrent. Pourtant, n'était-ce pas une lumière qu'il apercevait là-bas, sous cet amandier ? Intrigué, il se dirigea vers le bouquet d'arbres.

— Excusez-moi, dit-il, d'un ton qui se voulait rassurant et propre à se concilier les bonnes grâces de celui qui était assis sous l'amandier, tout en priant pour que ce ne fût pas encore un de ces facétieux plaisantins du petit peuple qui lui avaient volé son chapeau. Hum, je cherche une étoile.

Pour toute réponse, il reçut une poignée de boue en pleine figure. Outre que recevoir une telle gifle n'avait rien de plaisant, de la terre tomba sur son col et se faufila, de surcroît, sous sa tunique.

— Je ne vous veux pas de mal, persévéra-t-il d'une voix forte.

Cette fois, il vit la poignée de boue arriver et l'esquiva. Elle alla heurter le tronc d'un orme, derrière lui. Il avança alors vers le tireur embusqué.

— Allez-vous-en ! dit une voix toute mouillée et nouée comme celle de quelqu'un qui vient de pleurer. Allez-vous-en et laissez-moi tranquille.

Elle était prostrée sous l'amandier, dans une étrange posture, et le regardait avec une mine renfrognée pour le moins inamicale. Elle brandit une troisième poignée de boue dans sa direction, avec un air menaçant, sans toutefois la lancer.

Elle avait les yeux rouges et les paupières toutes gonflées et des cheveux si blonds qu'ils en devenaient presque blancs. Sa robe de soie bleue scintillait à la lumière de la bougie. Assise là, sous son arbre, elle rayonnait comme un astre.

— Je vous en prie, l'implora-t-il, ne me bombardez plus de boue. Je ne voulais pas vous déranger. Seulement, voyez-vous, il y a une étoile qui est tombée dans les parages et je dois la ramener avant que ma bougie ne s'éteigne.

— Je me suis cassé la jambe, se lamenta la jeune fille.

— J'en suis désolé, croyez-le bien, fit Tristan. Mais, vous comprenez, cette étoile...

— Je me suis cassé la jambe, répéta la jeune fille. En tombant.

Et, sur ces bonnes paroles, elle lui jeta sa poignée de boue à la face, provoquant, par là même, une pluie de poudre scintillante qui semblait tomber de son bras.

Tristan recula, mais le projectile l'atteignit tout de même en pleine poitrine.

— Allez-vous-en, sanglotait la jeune fille, en se cachant le visage dans les bras. Allez-vous-en. Laissez-moi tranquille.

— Mais alors... l'étoile, c'est vous ! s'exclama Tristan, se rendant enfin à l'évidence.

— Et, vous, vous êtes un balourd, répliqua la jeune fille. Un cornichon, un crétin, un idiot et un fat !

— Oui, admit Tristan. Je suppose que oui, entre autres.

Et, sans plus attendre, il déroula sa chaîne d'argent et en passa une des extrémités au frêle poignet de la jeune fille. Il sentit aussitôt l'autre boucle de la chaîne se resserrer sur le sien.

— Que croyez-vous donc être en train de faire, là, au juste ?

Il fallait avoir dépassé la fureur la plus noire, être parvenue au-delà même de la haine pour parler d'un ton aussi tranchant.

— Je vous emmène chez moi, répondit sans hésiter Tristan. C'est une promesse que j'ai faite, vous comprenez. J'ai juré.

Au même moment, la bougie se mit à crachoter avec virulence. Le résidu de mèche était littéralement noyé dans une flaque de cire. Pendant une fraction de seconde, la flamme fusa vers les nuées, éclaboussant toute la clairière : la jeune fille, l'indestructible chaîne qui courait de son poignet au sien et le reste. Puis la bougie s'éteignit.

Tristan fusilla l'étoile du regard, – ou plutôt la jeune fille qui l'incarnait – mais, par un formidable effort de volonté, parvint à tenir sa langue.

Une seule bougie pour y aller, est-ce que tu crois que c'est assez ? songea-t-il. *Pour y aller, oui ça suffit et pour en revenir aussi*. Mais la bougie était éteinte et le village de Wall était à plus de six mois de marche forcée.

— Je tiens à ce que vous sachiez, dit la jeune fille, d'une voix toujours aussi glaciale, que, qui que vous soyez, et quoi que vous vouliez faire de moi, je ne vous serai d'aucune aide. Au contraire, je ferai tout mon possible pour contrecarrer vos plans et vous mettrai des bâtons dans les roues à la première occasion. (Puis elle ajouta, en y mettant le ton :) Idiot !

— Mmmm, fit Tristan. Pouvez-vous marcher ?

— Non. Je me suis cassé la jambe. Non content d'être sot, seriez-vous sourd, de surcroît ?

— Est-ce qu'on dort chez vous ?

— Évidemment. Mais pas la nuit. La nuit, nous brillons.

— Eh bien, moi, je vais essayer de dormir un peu. Je ne vois rien d'autre à faire, pour le moment. La journée a été rude, sans parler de la soirée. Et vous feriez peut-être mieux de dormir aussi. Nous avons une longue route devant nous.

Le ciel, déjà, pâlissait. Tristan posa la tête sur son sac et fit de son mieux pour ignorer les insultes, malédictions et autres imprécations dont le mitraillait la jeune fille en robe bleue, à l'autre bout de la chaîne d'argent.

Il se demanda ce que le petit homme velu ferait en ne le voyant pas revenir.

Il se demanda aussi ce que faisait Victoria Forester à cette heure-ci. Elle était probablement endormie, dans son lit, dans sa chambre, dans la ferme de son père.

Il se demanda si six mois de marche ne risquaient pas de lui paraître un peu longs et de quoi ils se nourriraient en chemin.

Il se demanda ce que mangeaient les étoiles...

Puis il s'endormit.

— Imbécile ! Triple sot ! Nigaud ! pestait l'étoile.

Puis elle poussa un profond soupir et chercha une position aussi confortable que possible, étant donné les circonstances. Sa jambe ne la faisait pas trop souffrir, mais la douleur, quoique sourde, était continue. Elle éprouva la chaîne qui lui ceignait le poignet, mais elle était bien serrée et solide : elle ne pouvait ni la briser, ni glisser sa main hors de la boucle.

— Stupide et misérable mufle ! murmura-t-elle.

Puis elle s'endormit aussi.

Chapitre
cinq

D'une couronne fort disputée.

À la lumière du jour, la jeune fille semblait un peu plus humaine, un peu moins éthérée. Ce n'était pourtant pas d'être douée de parole qui l'humanisait : elle n'avait pas dit un mot à Tristan depuis qu'il s'était réveillé.

Cependant qu'armé de son couteau, ce dernier taillait une grosse branche tombée à terre pour en faire une béquille, assise sous un sycomore, les yeux braqués sur lui, l'étoile le tenait sous un feu roulant de regards meurtriers. Poursuivant imperturbablement sa tâche, Tristan ôta l'écorce encore verte d'un jeune rameau et entreprit de l'enrouler autour de la fourche du Y.

Ils n'avaient encore rien avalé et Tristan mourait de faim. Il avait beau se concentrer sur son travail pour n'y pas songer, son estomac criait famine. Quant à l'étoile, elle n'avait même pas parlé de petit déjeuner. Au reste, elle ne s'était pas un instant départie de son immobilisme minéral, se contentant de le regarder fixement avec, dans les prunelles, un air de reproche qui, peu à peu, s'était mué en haine manifeste.

Il étira l'écorce, en fit une boucle qu'il passa autour de l'autre branche de la fourche et la tendit en sens inverse.

— Je vous assure que, personnellement, je n'ai absolument rien contre vous, déclara-t-il tout à coup, sans que nul n'ait pu dire à qui, du bosquet ou de la jeune fille, cette émouvante profession d'innocence s'adressait.

Dans la lumière crue du soleil, l'étoile ne brillait plus, ou à peine, et seulement là où l'ombre se concentrait.

Elle fit courir son index le long de la chaîne qui les

reliait, suivit son trajet autour de son poignet, mais ne répondit pas.

— C'est par amour que j'ai fait ça, poursuivit Tristan. Et vous êtes vraiment mon unique espoir. Elle s'appelle... je veux dire celle que j'aime s'appelle Victoria, Victoria Forester. Et c'est la plus jolie, la plus sage et la plus charmante jeune fille que le monde ait jamais portée.

L'étoile sortit enfin de son mutisme pour le gratifier d'une interjection pour le moins sarcastique :

— Humpf ! Et cette charmante créature, à l'incomparable sagesse, vous a envoyé ici pour me torturer ?

— Eh bien, non. Non, pas exactement. Voyez-vous, elle m'a promis tout ce que je voudrais – un baiser et, même, sa main – si je lui ramenais l'étoile filante que nous avons vue tomber, avant-hier. Je croyais, je l'avoue, qu'une étoile ressemblait à une sorte de diamant ou de gros caillou. Je ne m'attendais pas à avoir affaire à une demoiselle.

— Eh bien, puisque c'est à une « demoiselle » que vous « avez affaire », ne pourriez-vous pas lui venir en aide ou, à défaut, la laisser tranquille ? Pourquoi l'entraîner dans cette ridicule histoire ?

— L'amour, expliqua Tristan, d'un air inspiré.

Les prunelles bleu ciel de la belle demeurèrent un long moment posées sur lui.

— Eh bien, j'espère que vous vous étoufferez avec ! lâcha-t-elle froidement.

— N'y comptez pas, répliqua Tristan, avec beaucoup plus d'assurance et d'entrain qu'il n'en éprouvait. Tenez. Essayez donc ça.

Il lui tendit la béquille et se pencha vers elle pour l'aider à se relever. En posant la main sur son bras, il ressentit une sorte de fourmillement – pas franchement désagréable –, là, juste à l'endroit où ses doigts touchaient sa peau. Mais l'étoile restait assise dans l'herbe sans faire le moindre effort pour se redresser et si figée qu'on l'eût pu croire enracinée.

— Je vous avais prévenu que je ferais tout mon possible pour contrarier vos projets, lui rappela-t-elle. Je ne plaisantais pas.

Elle jeta un coup d'œil circulaire.

— Comme ce monde est terne à la lumière du jour ! Et comme il semble fade et ennuyeux !

— Vous ne pourrez pas rester éternellement ici, de toute façon, argua Tristan. Vous serez bien obligée de bouger, à un moment ou à un autre. Allez, appuyez-vous sur moi, n'hésitez pas. Et servez-vous de la béquille pour vous équilibrer.

Devant son manque de réaction, il tira sur la chaîne. Quoique de mauvaise grâce, l'étoile commença alors à se lever. Elle prit d'abord appui sur Tristan, puis, comme si tout contact avec lui la révulsait, reporta tout son poids sur la béquille.

Soudain, elle hoqueta, le souffle coupé, puis s'effondra dans l'herbe et demeura prostrée, grimaçant de douleur, tandis que de petits gémissements s'échappaient de ses lèvres blêmes. Tristan s'agenouilla près d'elle.

— Qu'est-ce qu'il y a ?

Elle le foudroya du regard. Mais ses beaux yeux bleus étaient noyés de larmes.

— Ma jambe. Je ne peux pas me mettre debout. Elle doit être vraiment cassée.

Elle était, à présent, d'une pâleur effroyable et tremblait de tous ses membres.

— Je suis désolé, murmura-t-il. Je peux peut-être essayer de vous mettre une attelle. Je l'ai déjà fait pour mes moutons. Ça ira, vous verrez.

Il lui étreignit furtivement la main et s'en fut au ruisseau plonger son mouchoir dans l'eau vive pour qu'elle puisse se rafraîchir et s'éponger le front.

Il ramassa ensuite plusieurs branches mortes qu'il tailla avec son couteau, puis, s'étant défait de son pourpoint, ôta sa chemise, la déchira en longues bandes de tissu et les enroula autour de la jambe blessée pour immobiliser les bouts de bois aussi fermement que possible. L'étoile demeura parfaitement silencieuse pendant toute l'opération. Pourtant, au moment où il tirait un coup sec pour faire le dernier nœud, il lui sembla qu'elle étouffait une plainte.

— Il faudrait vraiment qu'on vous trouve un docteur, lui dit-il. Je ne suis pas chirurgien, moi. Je n'y connais rien.

— Ah non ? rétorqua-t-elle, cinglante. Vous m'étonnez.

Il la laissa se reposer un moment au soleil, puis avec un « Il faudrait peut-être réessayer » d'encouragement, l'aida une nouvelle fois à se lever ; cette fois, avec succès.

Ils quittèrent alors la clairière, clopin-clopant. L'étoile s'appuyait lourdement, tant sur sa béquille que sur le bras de Tristan, mais chaque pas lui arrachait une grimace et chaque grimace, chaque tressaillement de douleur accroissaient d'autant la culpabilité de Tristan – lequel tentait d'étouffer ses scrupules en pensant aux grands yeux de Victoria Forester. Tandis qu'ils cheminaient à travers bois, estimant sans doute qu'il se devait de détendre l'atmosphère, Tristan s'efforçait de distraire la malheureuse éclopée en lui faisant la conversation : il lui demandait depuis combien de temps elle était une étoile, si c'était amusant d'être une étoile et si toutes les étoiles étaient de sexe féminin. Il l'informa également qu'il avait toujours cru, comme Mrs. Cherry le lui avait enseigné, que les étoiles n'étaient, en réalité, que des boules de gaz enflammé qui se consumaient à des centaines de milliers de kilomètres de là, exactement comme le soleil, sauf qu'elles se trouvaient beaucoup plus loin.

Toutes ses questions demeurèrent sans réponse et ses allégations, sans démenti.

— Comment se fait-il que vous soyez tombée, d'ailleurs ? s'enquit-il, nullement découragé. Vous avez trébuché ? Buté sur quelque chose, peut-être ?

Elle se figea, se tourna vers lui et le considéra, comme si elle examinait, à distance respectueuse, quelque chose de foncièrement répugnant.

— Je n'ai pas « trébuché », cracha-t-elle finalement, d'un ton acerbe. J'ai reçu un projectile qui m'a déséquilibrée. J'ai été heurtée... par ceci.

Elle plongea la main sous sa robe et en sortit une grosse pierre jaunâtre qui se balançait entre deux lourdes chaînes d'argent.

— Je porte encore la trace de l'impact sur le flanc, là où elle m'a frappée. Voilà ce qui a provoqué ma chute. Et, comble de bonheur, il me faut, à présent, la traîner partout avec moi !

— Pourquoi ?

Elle sembla sur le point de lui répondre, mais secoua la tête et, serrant les lèvres, se détourna sans souffler mot. Une rivière cascadait sur leur droite, accompagnant leur marche de son chant cristallin. Le soleil de midi commençait à taper et, cédant aux instants appels de son estomac,

Tristan alla à la rivière ramollir le quignon de pain dur qui lui restait, puis revint vers l'étoile et lui proposa de le partager.

La jeune fille inspecta le pain mouillé avec dédain et le repoussa.

— Vous allez mourir de faim, l'avertit Tristan.

Elle n'en releva la tête que davantage.

Ils poursuivirent leur route à travers bois. Mais leur progression demeurait laborieuse. Elle le fut plus encore quand ils entreprirent d'escalader une colline escarpée : la sente qu'ils avaient empruntée était encombrée de troncs d'arbres tombés en travers du chemin et si abrupte qu'ils risquaient, à chaque pas, de la dévaler jusqu'en bas.

— N'existe-t-il pas un itinéraire plus praticable ? s'enquit l'étoile. Une route quelconque ou, du moins, un terrain moins accidenté, une clairière peut-être ?

À peine avait-elle formulé sa question que Tristan connaissait la réponse.

— Il y a une route à moins d'un demi-mile d'ici, lui dit-il, en agitant la main vers la droite. Et une clairière par là, de l'autre côté de ces fourrés, ajouta-t-il, en pointant l'index sur la gauche.

— Et vous le saviez ?

— Oui. Enfin, non. Seulement quand vous me l'avez demandé.

— Allons vers la clairière, décréta-t-elle.

Ils se frayèrent tant bien que mal un chemin à travers les broussailles. Il ne leur fallut, toutefois, pas moins d'une heure pour parvenir à destination. Mais le jeu en valait la chandelle : la clairière était parfaitement plane et dégagée. *Un vrai terrain de football !* se dit Tristan, tout en se demandant dans quel but on avait bien pu débroussailler pareil endroit. Il n'en avait pas la moindre idée.

Au centre de la clairière, non loin d'eux, trônait dans l'herbe grasse une couronne d'or brillant de mille feux. Elle était ornée de pierres rouges et bleues. *Des rubis et des saphirs !* s'émerveilla Tristan. Il s'apprêtait déjà à aller inspecter l'objet de plus près quand l'étoile le retint par le bras.

— Attendez, lui dit-elle. N'entendez-vous pas des tambours ?

Quoiqu'il n'y ait nullement prêté attention jusqu'alors, Tristan se rendit subitement compte qu'il percevait, en effet, une sorte de pulsation sourde, toute proche et cependant distante, qui paraissait venir de partout à la fois et dont les collines se renvoyaient l'écho à l'infini. Et, soudain, il y eut un fracas épouvantable, là-bas, de l'autre côté de la clairière – au cœur des futaies semblait-il –, puis un grand cri inarticulé. C'est alors qu'un énorme cheval blanc surgit dans la lumière. Ses flancs lacérés ruisselaient de sang. Il chargea à travers la clairière, puis volta et, baissant la tête, s'apprêta à affronter son poursuivant. Ce dernier bondit à sa suite avec un rugissement si terrifiant que Tristan en eut la chair de poule. C'était un lion, mais un lion qui ne ressemblait en rien à celui que Tristan avait vu, un jour, à la foire d'un village voisin : une pauvre bête édentée aux yeux chassieux et au pelage mité. Ce lion-ci était gigantesque et presque doré dans le soleil tardif. Il débola dans la clairière, puis se figea et riva les yeux sur son adversaire en retroussant les babines.

Le cheval blanc semblait terrorisé. Une lueur de folie dansait dans ses prunelles de jais et un mélange d'écume et de sang souillait sa crinière en bataille. C'est alors que Tristan aperçut la longue corne d'ivoire qui lui ornait le front. Tout à coup, la licorne se cabra et s'ébroua avec des hennissements de terreur. Un de ses sabots heurta le lion à l'épaule. Le fauve poussa un hurlement de chat échaudé et recula d'un bond. Puis, tout en restant à distance respectueuse, il se mit à tourner autour de sa rivale, sans quitter des yeux le redoutable rostre qui demeurait pointé sur lui. Tous les sens aux aguets, la licorne suivait le moindre de ses mouvements.

— Arrêtez-les, chuchota l'étoile. Ils vont s'entre-tuer.

Le lion défia son adversaire d'un grondement menaçant. Ce fut d'abord comme un lointain roulement de tonnerre qui allait s'amplifiant et s'acheva par un formidable rugissement qui fit trembler ciel et terre. Même les rochers tressautaient. C'est alors que le lion attaqua. La licorne plongea, corne en avant. Bientôt, la clairière ne fut plus qu'or, pourpre et argent mêlés. Agrippé au dos de sa proie, emprisonnant son cou dans l'étau de ses mâchoires, les crocs plantés dans sa chair, le lion lui labourait les flancs de ses longues griffes acérées. La licorne gémissait, ruait et se roulait dans l'herbe pour déloger le félin. Mais elle avait beau donner de la corne, des dents et des sabots, s'efforçant par tous les moyens de l'atteindre, son tortionnaire conservait l'avantage.

— Je vous en prie, faites quelque chose, le supplia la jeune fille, d'un ton pressant. Le lion va la massacrer.

Tristan lui aurait volontiers expliqué qu'à trop s'approcher des bêtes en furie, il ne pourrait guère y gagner que coups de sabots et de griffes à l'envi, voire de se faire embrocher, hacher menu et dévorer, et que, si, par miracle, il réussissait à y survivre, il ne voyait toujours pas ce qu'il aurait pu faire, n'ayant pas même, à portée de la main, le moindre seau d'eau : instrument essentiel de la méthode wallienne pour séparer les animaux belliqueux qui se battaient entre eux. Mais, toutes ces belles pensées n'avaient pas encore eu le temps de lui traverser l'esprit que Tristan Thorn se trouvait déjà au centre de la clairière et si près des bêtes qu'en étendant le bras il aurait pu les toucher. L'odeur du lion était forte, animale, terrifiante, et la supplique dans les yeux noirs de la licorne, intolérable.

Lion et Licorne pour la couronne se battaient, songea-t-il, se remémorant la vieille comptine.

Dans toute la ville, le Lion la Licorne poursuivait.
Il la frappa une fois
Il la frappa deux fois
De toutes ses forces, trois fois de suite il la frappa
Que ne ferait-on pour rester roi ?

Et, sans plus attendre, il ramassa la couronne – qui était lourde et lisse comme du plomb –, puis, se dirigeant vers les combattants, s'adressa au lion avec cette façon toute particulière qu'il avait de parler aux béliers enragés, brebis rétives et autres quadrupèdes par trop agités sur les terres de son père :

— Là, là... tout doux, tout doux... la voilà ta couronne...

Tel un gros chat malmenant une écharpe, le lion secouait la licorne entre ses mâchoires. Il lança à Tristan un regard dans lequel se lisait la plus vive perplexité.

— Salut, fit Tristan.

Et, sur ces bonnes paroles, il tendit la couronne vers le grand fauve à la crinière tout emmêlée de feuilles et de petites boules de bardane.

— Tu as gagné, lui dit-il, se rapprochant d'un pas. Lâche la licorne, maintenant. Laisse-la partir.

Il tendit alors des mains tremblantes et couronna le lion.

Le lion sauta lourdement à bas de sa proie, puis, tête haute, se mit à arpenter la clairière en silence, dans une attitude régalienne. Parvenu à la lisière de la forêt, il prit le temps de lécher consciencieusement ses blessures de sa grande langue toute rouge, puis, avec un ronronnement de tremblement de terre, s'enfonça dans la forêt.

L'étoile clopina jusqu'à la licorne. Les yeux clos, l'animal demeurait prostré dans l'herbe ensanglantée et la jeune fille s'assit tant bien que mal près de lui, sa jambe cassée étendue sur le côté. Puis elle commença à lui caresser l'encolure avec force murmures compatissants.

La licorne souleva les paupières, riva sur elle ses prunelles de jais, puis posa la tête sur ses genoux et ferma de nouveau les yeux.

Ce soir-là, Tristan grignota son dernier croûton de pain en guise de souper, sous le regard impavide de l'étoile qui, comme à son habitude, mit un point d'honneur à ne rien avaler. Elle avait insisté pour qu'ils restent aux côtés de la licorne et Tristan n'avait pas eu le cœur de le lui refuser.

La nuit était tombée, plongeant la clairière dans l'obscurité, mais les étoiles scintillaient par milliers et la femme-étoile brillait comme si, la frôlant au passage, la Voie lactée l'avait poudrée de lumière céleste. La licorne ne luisait que très faiblement, guère plus que la lune lorsqu'un nuage vient à voiler sa face blême. Allongé contre l'énorme masse de l'animal, Tristan sentait sa chaleur irradier dans la nuit. L'étoile s'était couchée de l'autre côté de la licorne et Tristan avait l'impression qu'elle la berçait. Il aurait bien aimé pouvoir écouter ce qu'elle lui disait. Les bribes de mélodie qui lui parvenaient avaient quelque chose d'étrange et d'envoûtant, mais l'étoile chantait si doucement qu'il ne l'entendait presque pas.

Il frôla des doigts la fine chaîne qui les liait l'un à l'autre : elle était froide comme la neige et aussi ténue qu'un rayon de lune sur un bief ou que l'éclat des écailles d'une truite qui remonte à la surface pour se nourrir.

À peine suivait-il, en pensée, la trajectoire du poisson argenté qu'il plongeait avec lui dans les profondeurs du sommeil.

La reine des sorcières conduisait sa carriole sur le chemin forestier, fouaillant, au moindre signe d'indolence, les flancs des deux boucs jumeaux qui la tiraient. Près d'un kilomètre l'en séparait encore quand elle avait repéré le petit feu de camp, sur le bord de la route, et elle savait déjà, à la couleur des flammes, que c'était l'œuvre d'une de ses consœurs : les feux de sorcière jettent des lueurs tout à fait singulières. En arrivant à la hauteur de la roulotte bariolée, elle tira sur les rênes et rangea sa carriole près du feu et de la vieille femme aux cheveux gris qui faisait cuire un lièvre à la broche. Les entrailles du gibier dégouttaient de graisse et le feu crépitait, exhalant un alléchant fumet de rôti et une puissante odeur de feu de bois.

Elle descendait de sa carriole quand elle aperçut le magnifique oiseau exotique à l'avant de la roulotte. En la voyant, l'oiseau multicolore ébouriffa ses plumes et lança un cri d'alarme – peut-être se serait-il même enfui, n'en eût-il été empêché par la chaîne qui le retenait à son perchoir.

— Avant qu'vous dites rien, fit la vieille femme aux cheveux gris, y faut qu'vous sachez que j'suis juste une pauv'marchande de fleurs, une vieille bonne femme sans défense qui f'rait pas d'mal à une mouche et qu'voir débarquer d'vant moi une grande dame aussi redoutable et terrifiante comme vous m'remplit d'épouvante. Sans mentir, j'en ai froid dans l'dos.

— Je ne te ferai aucun mal, répondit la reine des sorcières.

La vieille harpie plissa les yeux pour l'examiner de la tête aux pieds.

— Que vous dites ! rétorqua-t-elle. Mais comment que j'pourrais savoir si c'est vrai, une pauv'petite vieille qu'a pas deux sous d'malice comme moi que j'tremble comme une feuille devant vous ? Vous pourriez avoir dans l'idée d'profiter d'la nuit pour m'voler, ou même pire.

Ce disant, elle tisonna le feu à l'aide d'un bâton. Les flammes s'élevèrent aussitôt et l'air du soir embauma la viande rôtie.

— En vertu des règles qui régissent l'Ordre auquel nous appartenons, toi et moi, et des droits et des devoirs qu'il nous confère, par la puissance de Lilim, sur mes lèvres, mes seins et ma virginité, je jure que je ne te veux aucun mal et que je te traiterai avec la bienveillance que si c'était moi qui t'invitais.

— Ça m'va, ma p'tite dame, répondit la vieille femme, avec un large sourire. V'nez donc vous asseoir. Le dîner s'ra prêt en deux coups d'cuillère à pot.

— Avec plaisir, répondit la longue dame brune.

Les boucs béguetaient et mâchonnaient pensivement les touffes d'herbe au pied de la carriole, avec un regard méprisant pour les mules attelées à la roulotte.

— Belles bêtes, commenta la mégère.

La reine des sorcières hocha la tête, avec un modeste sourire. Le feu accrochait des lueurs rougeoyantes au bracelet écarlate qu'elle portait au poignet droit.

— Voyons, ma chère, reprit la vieille, mes yeux n'sont plus c'qu'ils étaient – et de loin –, mais est-ce que j'me tromp'rais si j'disais qu'un d'vos charmants compagnons d'voyage a passé la première partie d'sa vie sur deux jambes au lieu d'quatre ?

— Cela s'est déjà vu, reconnut la reine des sorcières. Semblables transformations ne sont pas aussi rares qu'on pourrait le croire. Pour preuve, ce magnifique oiseau, par exemple.

— Cet oiseau a bazardé un des joyaux d'mon stock, l'a donné à un propre à rien, il y a près d'vingt ans. Et, après ça, le mal qu'elle m'a donné, vous pouvez pas vous imaginer ! C'est bien pourquoi qu'maint'nant, elle vit pour de bon sous cette forme, à moins qu'y ait d'la besogne pour elle ou le stand à t'nir. Mais, si j'pouvais trouver une bonne servante dure au mal et à la tâche, eh ben, elle rest'rait un oiseau à vie, c'est moi qui vous l'dis !

L'oiseau pépia tristement sur son perchoir.

— J'm'appelle Madame Semele, déclara la vieille harpie.

On t'appelait déjà Sal la Souillon que tu étais encore haute comme trois pommes, pensa la reine des sorcières, mais elle se garda bien d'en rien dire.

— Tu peux m'app'ler Morwanneg, répondit-elle plutôt.

Ce qui, à ses yeux, ne manquait pas de sel (Morwanneg signifiait « vague de l'océan » et son vrai nom avait, depuis longtemps, sombré dans les ténèbres glacées des abysses).

Madame Semele se leva pour monter dans sa roulotte et en ressortit avec deux bols de bois peints, deux couteaux à manche de bois et un petit pot d'herbes séchées réduites en poudre.

— J'allais manger avec les doigts sur une feuille fraîche, dit-elle, en lui tendant un bol sous l'épaisse poussière duquel transparaissait un tournesol. Mais je m'suis dit : « C'est pas si souvent qu'tu dînes en si bonne compagnie. » Donc, les p'tits plats dans les grands. La tête ou le croupion ?

— Après vous.

— Alors, la tête pour vous, avec les yeux juteux, la cervelle crémeuse et les oreilles qui croustillent sous la dent. Et, pour moi, l'croupion : rien qu'du maigre à grappiller, fit-elle, tout en retirant la broche du feu.

Elle entreprit alors de découper le lièvre et, jonglant avec ses couteaux à une telle vitesse que l'œil avait peine à suivre, ôta avec dextérité la viande des os et la répartit, avec une relative équité, entre les deux écuelles.

— Y a pas d'sel, ma chère, reprit-elle, en présentant à son invitée le pot d'herbes séchées. Mais agitez donc un peu d'ça d'ssus. Ça f'ra l'affaire. Un peu d'basilic, un peu d'thym des montagnes... ma recette personnelle.

La reine des sorcières prit sa ration de gibier rôti, un des deux couverts à manche de bois, puis saupoudra un peu d'herbes sur son plat. Elle embrocha ensuite un morceau de viande sur la pointe de son couteau et s'en délecta, pendant que son hôtesse chipotait avec sa part, soufflant tant et plus sur la croûte dorée.

— Alors ? s'enquit cette dernière.

— Absolument délicieux, répondit son invitée avec conviction.

— C'est les herbes qui font tout, expliqua la mégère.

— Je parviens sans peine à discerner les goûts de basilic et de thym, affirma la dame en rouge, mais il y a autre chose que j'ai plus de mal à identifier.

— Aaaah ! fit Madame Semele.

Et elle se mit à mordiller négligemment dans son petit bout.

— C'est un goût fort singulier, insista son invitée.

— Pour sûr. C'est une herbe qui pousse qu'à Garamond, sur une île, au milieu d'un grand lac. Elle relève très bien toutes sortes de viandes et d'poissons. Son goût m'rappelle un peu çui du fenouil, avec p't-être une p'tite pointe d'noix d'muscade. Ses fleurs sont d'un bel orange vif. Elle soulage les vents et les fièvres et c'est, par-d'ssus l'marché, un soporifique doux qu'a la curieuse propriété d'pousser çui qui y goûte à dire rien-qu'la-vérité-toute-la-vérité pendant plusieurs heures.

La dame en rouge en laissa tomber son écuelle.

— De l'herbe de Limbus ! s'écria-t-elle. Tu as osé me faire manger de l'herbe de Limbus ?

— On dirait bien, ma p'tite dame, gloussa la vieille, avant d'éclater d'un grand rire satisfait. Bon. Dites-moi un peu, maint'nant, Dame Morwanneg – si c'est bien vot'vrai nom –, où c'est qu'vous vous en allez comme ça dans vot'jolie carriole ? Et pourquoi qu'vous m'rapp'lez tellement quelqu'un qu'j'ai connu autrefois ? Et Madame Semele oublie jamais rien ni personne...

— Je suis sur la piste d'une étoile, répondit la reine des sorcières. Une étoile tombée dans les profondes forêts qui s'étendent de l'autre côté du mont Bedon. Et, quand je l'aurai trouvée, je prendrai mon grand couteau et je taillerai dans la chair vive pour lui arracher le cœur, tant qu'il palpite encore. Car le cœur palpitant d'une étoile est un remède souverain contre les pièges de l'âge et les outrages du temps. Mes sœurs attendent mon retour avec impatience.

Madame Semele se balançait d'avant en arrière en se tenant les côtes et s'étouffait de rire.

— Le cœur d'une étoile, hein ? Hé hé ! Quelle belle prise ce s'ra pour moi ! J'en mang'rai juste assez pour r'trouver ma jeunesse, mes belles boucles d'or et d'beaux tétons tout doux, bien fermes et haut perchés et j'empor't'rai l'reste pour l'vendre à la grand'foire de Wall. Hé, hé, hé !

— Tu n'en feras rien, rétorqua l'autre avec un calme olympien.

— Ah non ? Vous êtes mon invitée, très chère. Vous avez juré. Vous avez mangé à ma table. En vertu des lois d'notre Ordre, vous pouvez plus rien contre moi.

— Oh ! il est encore tant de choses que je pourrais faire pour te nuire, Sal la Souillon ! Mais je me contenterai de te faire remarquer que celui qui a goûté de l'herbe de Limbus ne peut dire que la vérité et rien que la vérité, pendant plusieurs heures. Et, une petite chose encore...

Ses mots semblaient crépiter d'étincelles quand elle parlait. Un silence de mort avait envahi la forêt, comme si chaque feuille de chaque arbre n'avait d'ouïe que pour elle.

— Tu m'as extorqué des connaissances que tu ne méritais pas : tu n'as rien fait pour les acquérir. Cela ne te profitera pas : tu vas te retrouver dans l'incapacité la plus totale de voir l'étoile. Il te sera même absolument impossible de percevoir sa présence, de la toucher, de la trouver, de la tuer. Même si quelqu'un lui arrachait le cœur pour te le donner, tu ne le reconnaîtrais pas pour ce qu'il est et tu ne saurais même pas ce que tu as entre les mains. J'ai dit. Or, ces paroles ont été proférées sous le sceau de la vérité. Sache encore ceci : j'ai juré, sur la règle de notre Ordre, de ne te faire aucun mal. Si je n'avais pas prêté serment, je t'aurais changée en cafard et t'aurais arraché les pattes, une par une, puis je t'aurais abandonnée à la rapacité des oiseaux pour m'avoir fait endurer pareil outrage.

Les yeux exorbités de terreur, Madame Semele dévisageait son invitée.

— Qui vous êtes ? lui demanda-t-elle, dans un souffle.

— Quand tu m'as connue, jadis, répondit la femme à la robe écarlate, je régnais avec mes sœurs sur Carnadine. Le Carnadine d'avant la chute.

— Vous ! Mais vous êtes morte et enterrée d'puis belle lurette !

— On a déjà prétendu bien des fois que Lilim était morte. Mais ce n'étaient que mensonges. L'écureuil n'a pas encore trouvé le gland qui deviendra le chêne dont on fera le berceau dans lequel grandira celui qui me terrassera.

Scandant ses mots, des éclairs argentés jaillissaient dans le feu qui, à chaque nouvel assaut, rugissait de plus belle.

— Alors c'est bien vous ! Et vous avez r'trouvé vot'jeunesse, soupira Madame Semele. Mais, maint'nant, moi aussi j'vais red'venir jeune.

La femme en rouge se leva sans répondre et alla jeter le bol de bois qui avait contenu son dîner dans les flammes.

— Certainement pas, trancha-t-elle. N'as-tu pas entendu ce que j'ai dit ? Je n'aurai pas quitté ces lieux qu'il ne restera déjà plus aucun souvenir de ma visite. Tu auras tout oublié, même le sort que je t'ai jeté. Il demeurera pourtant quelque part, profondément enraciné dans un recoin de ta mémoire, t'agaçant, t'irritant sans relâche, comme une démangeaison sur un membre amputé. Et puisses-tu, désormais, traiter tes hôtes avec davantage d'aménité et de respect.

C'est alors que l'écuelle explosa. Des flammes gigantesques s'élevèrent en gerbe flamboyante, carbonisant les ramures du vieux chêne à l'ombre duquel les deux sorcières avaient dîné. D'un preste coup de bâton, Madame Semele retira le bol du feu.

— Qu'est-ce qui peut bien m'avoir pris d'lâcher cette écuelle dans l'feu ? s'écria-t-elle. Et r'gardez-moi ça ! Un d'mes plus beaux couteaux tout brûlé : irrécupérable ! Mais à quoi qu'j'avais donc la tête ?

Seul un martèlement sourd de sabots de boucs s'éloignant dans la nuit lui répondit. Madame Semele secoua la tête comme pour chasser les toiles d'araignées et la poussière qui l'encombraient.

— J'me fais vieille, dit-elle à l'oiseau multicolore qui, juché sur son perchoir, n'avait pas perdu une miette de la scène et en avait retenu la moindre réplique. J'me fais vieille, répéta-t-elle. Et y a rien à y faire. C'est com'ça.

Observant un mutisme prudent, l'oiseau se contenta de changer de position.

Un écureuil s'avança, en quête de nourriture. Il hésita un instant dans la clarté des flammes, ramassa un gland, le tint un instant entre ses pattes antérieures, tel un croyant en prière, puis s'enfuit comme un voleur.

Le gland serait bientôt enfoui et tomberait tout aussi promptement dans l'oubli.

Scaithe-le-Jusant est une petite cité portuaire accrochée au granit de la côte, un bourg d'accastilleurs, de charpentiers de marine, de voiliers et de vieux loups de mer auxquels il manque un doigt, un bras ou même une jambe et qui trompent leur ennui au comptoir des rhumeries – quand ils n'ont pas ouvert la leur –, ce qu'il leur reste de cheveux serrés dans une longue queue-de-cheval quand bien même la barbe mitée qui leur hérisse le menton s'est depuis bien longtemps poudrée de givre. Il n'y a pas de catin à Scaithe-le-Jusant, ou aucune, du moins, qui se considère comme telle, même s'il n'a jamais manqué de femmes qui, poussées dans leurs retranchements, concéderont une tendance certaine à la polyandrie, avec un mari sur tel navire – qui fait escale tous les six mois – et un autre sur tel navire – en relâche au port pour un mois environ, tous les neuf mois.

Ces petits calculs se sont toujours faits à l'entière satisfaction de toutes les parties concernées et, quand, par hasard, ils ne tombent pas juste et qu'un homme revient voir sa femme quand un autre de ses « maris » est encore dans la place, eh bien, il y a une bagarre – et les rhumeries pour consoler le perdant. Les marins y trouvent leur compte : ils savent qu'avec un tel arrangement, il y aura au moins quelqu'un qui s'apercevra de leur absence, le jour où ils ne rentreront pas à terre, et qui les pleurera. De leur côté, les femmes se confortent en se disant que, de toute façon, leurs époux leur sont forcément infidèles, puisqu'on ne peut rivaliser avec la mer dans le cœur des hommes, la mer qui est à la fois leur mère et leur maîtresse et qui lavera aussi leur corps quand leur heure dernière aura sonné, le lavera inlassablement jusqu'à ce que, corail, ivoire et perles de nacre, ils reposent à jamais dans ses profondeurs abyssales.

C'est à Scaithe-le-Jusant que Lord Primus de Stormhold arriva, une nuit, tout de noir vêtu, avec une épaisse et fort respectable barbe, aussi broussailleuse qu'un des nids de cigogne coiffant les cheminées du bourg. Il arriva dans un carrosse noir, tiré par quatre chevaux noirs, et prit une chambre au Repos du Marin, dans la rue Lescroc.

Il y passa pour un excentrique tant ses exigences étaient singulières : non content d'apporter sa propre nourriture et ses propres boissons, il les fit monter dans sa chambre et les enferma dans un coffre qu'il ne devait guère plus ouvrir que pour y prendre une pomme, un bout de fromage ou une petite tasse de vin. On lui avait donné la chambre la plus élevée de l'auberge, une frêle bâtisse tout en hauteur, construite sur un promontoire rocheux – emplacement idéal pour qui s'adonne à la contrebande.

Il acheta les services de bon nombre de gamins désœuvrés qui traînaient à longueur de journée dans les rues, lesquels devaient venir immédiatement l'avertir s'ils voyaient arriver un inconnu en ville, tant par la route que par la mer, et, plus particulièrement, un individu d'une taille très supérieure à la moyenne, au profil anguleux, aux cheveux noirs, au visage mince, aux traits avides et au regard absent.

— Primus devient prudent, déclara Secundus à ses quatre frères défunts. Il a manifestement retenu la leçon.

— Tu sais ce qu'on dit, chuchota Quintus, de cette voix mélancolique des trépassés qui, ce jour-là, chantait comme le lointain murmure des vagues sur la grève. Qui est las de regarder par-dessus son épaule, pour s'assurer que Septimus n'est pas derrière lui, est las de vivre.

Le matin, Primus s'entretenait avec les capitaines des navires en relâche au port – leur payant des tournées de grogs à l'envi, sans jamais toucher lui-même un verre – et, l'après-midi, il inspectait les voiliers à quai.

Les commères de Scaithe-le-Jusant (et ce n'était pas cela qui manquait) ne tardèrent pas à découvrir le fin mot de l'histoire – et à le colporter – : le gentilhomme à l'épaisse barbe grisonnante cherchait à s'embarquer pour l'Orient. Cette rumeur fut bientôt chassée par une autre : il allait naviguer à bord du *Cœur d'un Rêve* – un clipper aux gréements noirs et aux ponts d'un bel écarlate, de plus ou moins bonne réputation (j'entends par là qu'il réservait, généralement, ses pirateries pour d'autres eaux, si possible fort lointaines) – sous le commandement du capitaine Yann. On prétendait aussi que l'étranger n'aurait qu'un mot à dire pour que ce dernier levât l'ancre.

— Monseigneur ! Monseigneur ! s'écria, un beau matin, un de ses jeunes informateurs. Y a un homme en ville qu'est venu par la route. Il loge chez Madame Meskine. Il est pas bien gros et r'semble à un corbeau. J'l'ai vu au Rugissement de l'Océan. Il payait une tournée générale. Il dit qu'il est « un marin en rupture de bannette ».

Primus tapota la tête pouilleuse du gamin et lui donna la pièce. Puis il s'en retourna mettre la dernière main à ses préparatifs. Et, cet après-midi-là, on annonça que le *Cœur d'un Rêve* larguerait les amarres dans moins de trois jours.

La veille de la date à laquelle le *Cœur d'un Rêve* devait prendre la mer, on vit Primus vendre son carrosse et ses quatre chevaux au palefrenier de la rue Mettengarde. Après quoi, il se rendit sur les quais, distribuant en chemin toute sa menue monnaie aux gamins des rues qu'il croisait, monta à bord du *Cœur d'un Rêve*, se calfeutra dans sa cabine et ordonna qu'on ne le dérangeât sous aucun prétexte, ni pour quelque raison que ce fût, bonne ou mauvaise, avant que le navire n'ait quitté le port depuis, au minimum, une bonne semaine.

Ce soir-là, un valeureux marin, qui faisait partie de l'équipage du *Cœur d'un Rêve*, fut victime d'un malencontreux accident : pris de boisson, il tomba sur les pavés glissants de la rue Revenu et se fractura la hanche. Par chance, il avait déjà un remplaçant tout trouvé : le marin qui avait justement passé la soirée avec lui et qui était parvenu à le persuader d'exécuter pour lui quelques pas de gigue sur le pavé mouillé. Et ce marin – grand, le cheveu noir, avec un faux air de corbeau – signa, cette nuit-là, le rôle d'équipage et fut sur le pont, à l'aube, quand le *Cœur d'un Rêve* mit les voiles cap à l'est.

Du haut de la falaise, Lord Primus de Stormhold, rasé de près, le regarda voguer au loin jusqu'à le perdre de vue. Puis il descendit la rue Mettengarde, rendit au palefrenier son argent – majoré d'un léger supplément – et prit la route de la côte.

Et c'est ainsi que, par une belle matinée ensoleillée, on vit un carrosse noir, tiré par quatre chevaux noirs, quitter Scaithe-le-Jusant en direction de l'ouest.

C'était la solution la plus évidente. Après tout, ne les avait-elle pas suivis toute la matinée, allant même jusqu'à pousser l'étoile à petits coups de tête taquins ? En outre, depuis la veille, les fleurs de sang, qui s'étaient épanouies sur ses flancs sous les griffes du lion, avaient eu le temps de sécher et, pour certaines même, de se refermer.

Alors que l'étoile boitait misérablement, claudiquant et trébuchant presque à chaque pas, et qu'enchaîné à elle par la fine entrave d'argent qui leur ceignait le poignet, Tristan devait marcher à son rythme, d'une consternante lenteur.

Cependant, d'un certain côté, cette simple perspective le révulsait. À ses yeux, chevaucher une licorne tenait quasiment du sacrilège : une licorne n'était pas un cheval ; elle n'avait souscrit à aucun des pactes ancestraux qui liaient indéfectiblement l'Homme et sa « Plus Noble

Conquête ». Au reste, il y avait, dans ses yeux noirs, une lueur farouche et, dans son pas, quelque chose de puissant et de retenu, comme un ressort près de se détendre ou un serpent près de mordre, qui faisaient d'elle une créature éminemment dangereuse et indomptable. Mais, d'un autre côté, il lui semblait, sans trop savoir sur quoi fonder cette impression, que la licorne s'était, en quelque sorte, attachée à l'étoile et ne souhaitait rien tant que lui rendre service, le cas échéant.

— Écoutez, hasarda-t-il finalement, je sais que vous avez juré de me mettre des bâtons dans les roues et tout ça, mais, si la licorne est d'accord, peut-être pourriez-vous monter sur son dos pendant un petit bout de chemin.

Pas de réponse.

— Hein ?

La jeune fille haussa les épaules.

Tristan se tourna vers la licorne et plongea les yeux dans le puits sans fond de ses prunelles noires.

— Vous me comprenez ? demanda-t-il.

La licorne ne réagit pas. Il avait espéré qu'elle hocherait la tête ou frapperait du pied, comme un cheval dressé qu'il avait vu, un jour, sur la place du village quand il était petit. Mais la licorne se contentait de le regarder fixement.

— Accepteriez-vous de porter cette demoiselle sur votre dos ? S'il vous plaît ?

La créature ne proféra pas le moindre mot, pas plus qu'elle ne frappa le sol du pied ni ne hocha la tête, mais elle se dirigea vers l'étoile et s'agenouilla à ses pieds.

Tristan aida l'étoile à se hisser sur sa monture. La jeune fille empoigna à deux mains la crinière en bataille et s'assit en amazone, sa jambe cassée projetée en avant comme un éperon. Et c'est ainsi que, pour quelques heures du moins, ils cheminèrent en silence.

Marchant à leurs côtés, la béquille sur l'épaule, avec son sac qui se balançait comme un balluchon, à un bout, et sa main droite, à l'autre, pour équilibrer le tout, Tristan se disait que, en définitive, faire monter l'étoile sur le dos de la licorne n'était peut-être pas une aussi bonne solution qu'il l'avait tout d'abord imaginé. Avant, il était certes obligé de ralentir pour régler son allure sur celle de l'étoile, mais, maintenant, s'il cessait un seul instant de courir pour rester à la hauteur de la licorne, la chaîne qui l'unissait à l'étoile pouvait se tendre brusquement, tirant la jeune fille en arrière, au risque de la faire tomber. Ses borborygmes rythmaient ses pas et la faim le tenaillait si cruellement qu'il finit par n'être plus, à ses propres yeux, qu'un estomac sur pattes, marchant, marchant, aussi vite qu'il le pouvait, en quête de nourriture et d'un improbable dîner.

Soudain, il trébucha.

— Arrêtez, je vous en prie ! s'écria-t-il, craignant de s'effondrer.

La licorne ralentit, puis s'immobilisa. L'étoile le dévisagea. Le pitoyable spectacle qu'il lui offrit lui arracha une grimace. Elle secoua la tête.

— Vous feriez mieux de monter, vous aussi, si la licorne y consent, lui dit-elle. Sinon vous allez finir par vous évanouir ou que sais-je de pis. Vous m'entraîneriez dans votre chute. Et puis, il faut que nous nous rendions dans quelque lieu où vous pourrez vous procurer de la nourriture. Vous êtes pâle à frémir.

Tristan acquiesça avec gratitude.

Manifestement consentante, la licorne semblait attendre passivement que Tristan veuille bien monter sur son dos. Mais l'entreprise n'était guère aisée. Autant essayer d'escalader un mur lisse : épuisant et totalement vain. Tristan finit par conduire l'animal jusqu'à un hêtre déraciné – probablement arraché, plusieurs années auparavant, par quelque tempête, vent violent ou géant en colère – et, tenant d'une main son sac et la béquille, il grimpa dans les racines, puis se jucha sur le tronc et, de là, sauta sur le dos de la noble créature.

— Il y a un village de l'autre côté de cette colline, annonça-t-il. J'espère y trouver de quoi manger.

Il flatta les flancs de la licorne qui se mit aussitôt au pas. Déséquilibré, il se rattrapa à la taille de l'étoile, sentant, sous ses doigts, l'étoffe soyeuse de sa robe diaphane et, en dessous, la grosse chaîne de la topaze dont elle ne se séparait jamais.

On ne chevauche pas une licorne comme on monte à cheval : une licorne ne bouge pas comme un cheval. Son allure a quelque chose de plus indiscipliné et de plus instable aussi. La licorne attendit que Tristan et l'étoile se fussent confortablement installés, puis, progressivement et sans effort, accéléra l'allure.

Les arbres défilaient de part et d'autre du chemin à une vitesse folle. L'étoile s'était couchée sur l'encolure, se cramponnant de toutes ses forces à la crinière de sa monture. Toute faim oubliée – si ventre affamé n'a point d'oreilles, transi d'effroi n'a plus guère d'estomac – Tristan serra les genoux, prenant les flancs de la licorne en étau, et se mit à prier pour ne pas être jeté à terre par une branche perdue. Cependant, la course éveillait en lui de nouvelles sensations, des sensations si fortes, si exaltantes qu'il ne tarda pas à y prendre goût. Chevaucher une licorne constitue, en effet, – pour ceux qui peuvent encore la tenter – une expérience incomparable. C'est à la fois follement exaltant et terriblement grisant. En un mot : génial !

Quand ils atteignirent les abords du village, le soleil se couchait. Ils traversaient une ondoyante prairie quand, brusquement, la licorne s'arrêta sous un chêne et refusa d'aller plus loin. Tristan sauta à terre et atterrit dans l'herbe avec un bruit mat. Il avait le fondement si endolori qu'il tenait à peine debout. Mais, comme l'étoile le regardait sans se plaindre le moins du monde, il s'efforça de conserver un tant soit peu sa dignité.

— Vous n'avez pas faim, vous ? lui demanda-t-il, tentant d'oublier ses courbatures à défaut de pouvoir les soulager.

Pas de réponse.

— Écoutez, reprit-il, je suis tout bonnement affamé. Je ne sais pas si vous... si les étoiles mangent, ni ce qu'elles mangent, mais je n'ai pas l'intention de vous laisser mourir de faim.

Il leva vers elle un regard interrogateur. Elle demeura d'abord impassible, puis, tout à coup, ses beaux yeux bleus s'embuèrent de larmes. Elle porta la main à son visage pour sécher ses pleurs, maculant ses joues de boue.

— Nous ne nous sustentons que d'obscurité et ne nous abreuvons que de lumière, dit-elle, d'un ton didactique, avant d'éclater en sanglots. Alors, je ne... n'ai pas... pas faim. Je me s... sens seule, j'ai p... peur, j'ai f... froid, je suis dé... désespérée et... pri... prisonnière, mais je n'ai... pas... pas faim.

— Ne pleurez pas, la consola Tristan. Écoutez, je vais aller au village chercher des vivres. Vous allez m'attendre ici. La licorne vous protégera s'il vient quelqu'un.

Il tendit les bras vers elle pour l'aider à descendre et la déposa dans l'herbe tout en douceur. Libérée de son fardeau, la licorne secoua sa crinière et se mit à paître avec enthousiasme.

L'étoile renifla.

— Vous attendre ici ? fit-elle, en levant la fine entrave d'argent qui les enchaînait l'un à l'autre.

— Oh ! euh... Ah oui, bredouilla Tristan. Donnez-moi votre main.

Il tritura en tous sens la chaîne qui lui ceignait le poignet. En pure perte.

— Hmmm, grommela-t-il, vexé.

Il tira alors de toutes ses forces sur la boucle d'argent encerclant son propre poignet. Sans plus de résultat.

— On dirait que je suis aussi enchaîné à vous que vous l'êtes à moi, conclut-il.

L'étoile rejeta ses cheveux en arrière, ferma les yeux et soupira.

— Peut-être faut-il utiliser une formule magique ou quelque chose de ce genre ? suggéra-t-elle, après avoir pris quelques profondes inspirations pour recouvrer son sang-froid.

— Je ne connais aucune formule magique, avoua Tristan.

Il souleva la chaîne et se mit à la regarder fixement. La lumière du couchant accrochait des reflets rouges et mauves aux maillons étincelants. Sans les quitter des yeux et mettant, dans sa voix, autant de conviction qu'il aurait aimé en éprouver, il murmura :

— S'il te plaît ?

Une sorte d'ondulation parcourut la chaîne, comme si une onde se propageait à travers la matière, et ce fut sans peine aucune qu'il put glisser sa main hors de la boucle.

— Et voilà ! fanfaronna-t-il, en la tendant à l'étoile. J'essaierai de ne pas être trop long. Et, si un quelconque énergumène du peuple des fées vient vous pousser la chansonnette, par pitié, ne lui jetez pas votre béquille à la figure. Il serait capable de vous la voler.

— N'ayez crainte, je n'en ferai rien.

— Je vais devoir vous faire confiance. Me promettez-vous de ne pas vous enfuir en courant dès que j'aurai le dos tourné ? Parole d'étoile ?

— Je ne pense pas être en mesure de courir avant quelque temps, lui rétorqua-t-elle, en désignant son attelle.

Faute de mieux, Tristan dut s'en contenter.

Il parcourut donc seul et à pied les derniers sept ou huit cents mètres qui le séparaient encore du village. Trop éloigné de l'itinéraire habituel des voyageurs, ce dernier ne possédait pas d'auberge, mais l'aimable matrone qui lui fournit cette explication insista pour qu'il l'accompagnât jusque chez elle et le pressa d'accepter une pleine écuelle de gruau d'orge aux carottes arrosé de petite bière. Il troqua son mouchoir de batiste contre une bouteille de cordial de sureau, une meule de fromage vert et une poignée de fruits qu'il considéra d'abord d'un œil soupçonneux. Il n'en avait jamais vu de pareils : tendres et duveteux comme des abricots, ils avaient la couleur du raisin noir et un parfum de poires mûres. Sa bienfaitrice lui donna aussi une petite balle de foin pour sa monture.

Ainsi pourvu, Tristan rebroussa chemin, tout en mordant avec curiosité dans l'un des fruits inconnus. Comme il était juteux ! et moelleux ! et sucré ! Il se demanda si l'étoile accepterait d'y goûter et si elle s'en délecterait autant que lui. Il espérait qu'elle serait contente en découvrant tout ce qu'il rapportait.

Au début, Tristan pensa s'être égaré : après tout, la nuit était tombée et il avait pu se tromper. Mais non. C'était bien le même arbre : le chêne sous lequel l'étoile s'était assise.

— Hello ?

Le temps passant et n'ayant reçu, pour toute réponse, que les clins d'œil compatissants de quelques lucioles et autres vers luisants, Tristan sentit soudain une angoissante crispation lui nouer l'estomac.

— Hello ?

Mais à quoi bon s'égosiller, puisqu'il n'y avait plus personne pour l'écouter ?

Il lâcha la balle de foin et, de rage, lui donna un coup de pied:

Elle est déjà à des miles d'ici, se lamentait-il. *Et elle se déplace beaucoup trop vite pour que je puisse la rattraper, surtout à pied !* Il se lança pourtant sur ses brisées. Grâce au ciel, la nuit était claire et la lune guidait ses pas. Mais, au fond de lui, il se sentait inerte et stupide, comme assommé. Il était bourrelé de remords, de honte et de culpabilité : *tu n'aurais pas dû la délivrer*, se tançait-il, tout en marchant. *Tu aurais dû l'attacher à un arbre. Tu aurais dû la forcer à t'accompagner au village.* Cependant, une autre petite voix lui faisait remarquer que, s'il ne l'avait pas détachée sur le moment, il n'aurait pas tardé à le faire, et que, de toute façon, tôt ou tard, elle aurait bien fini par lui fausser compagnie.

Il se demandait s'il la reverrait jamais et trébuchait sur les racines que le sentier, en s'enfonçant dans l'épaisseur de futaies millénaires, semblait, tout exprès, placer sous ses pieds. La lune disparut bientôt derrière le dais des ramures et, après avoir vainement titubé dans le noir, il s'allongea sous un arbre, posa la tête sur son sac, ferma les yeux et s'apitoya sur son sort, tant et si bien qu'il s'endormit.

Au cœur d'un rocailleux défilé, là-bas, sur le versant méridional du mont Bedon, la reine des sorcières tira sur les rênes de sa carriole et, le nez en l'air, huma le froid des cimes.

Les étoiles piquetaient le ciel d'une myriade de cristaux de glace.

Sur ses lèvres rouges, si rouges, se dessina alors un sourire, un sourire si beau, si lumineux et qui exprimait un tel bonheur, un bonheur si pur, si parfait, qu'à le voir vous auriez senti le sang se figer dans vos veines.

— Eh bien voilà ! murmura-t-elle, d'un ton satisfait. Quelle bonne idée de venir à moi, belle enfant !

Et le vent hurla dans le défilé, comme pour saluer son triomphe.

Assis devant un feu de camp, Primus frissonnait sous son épaisse robe noire. S'étant brusquement réveillé – ou peut-être faisait-il un cauchemar –, un des étalons poussa soudain un hennissement qui le fit sursauter. Puis la bête s'ébroua et, tout aussi subitement, replongea dans le sommeil. Primus éprouvait une sensation étrange : il avait froid aux joues. Sa barbe lui manquait. À l'aide d'une branche, il sortit des braises une grosse boule de terre cuite, se cracha dans les mains, puis ouvrit la coque d'argile brûlante. La viande bien tendre du hérisson qu'il avait fait cuire tout doucement sous la cendre, pendant qu'il dormait, dégageait un fumet alléchant qui lui chatouilla agréablement les narines.

Il dégusta son petit déjeuner avec méthode, recrachant les minuscules os à l'intérieur du cercle de pierres qui délimitaient le foyer, après en avoir consciencieusement ôté et mâché toute la viande, puis il fit passer ce mets de choix avec un bout de fromage trop dur et une tasse de vin blanc qui lui laissa un arrière-goût de vinaigre dans la bouche.

Une fois rassasié, il s'essuya les mains sur sa robe, puis lança les runes pour trouver la topaze : la fameuse pierre ancestrale qui lui conférerait les pleins pouvoirs sur les Cités des Corniches ainsi que sur toutes les provinces de Stormhold. Troublé, il se pencha pour examiner de plus près les petits carrés de granit rose. Il les reprit, les secoua entre ses mains aux longs doigts décharnés, les jeta à terre et les examina de nouveau. Puis il cracha sur les braises qui sifflèrent en représailles, ramassa les runes et les rangea dans l'aumônière pendue à son ceinturon.

— Elle s'éloigne de plus en plus, monologua-t-il. Et de plus en plus vite.

Primus urina sur les cendres – dans ces contrées sauvages où rôdaient bandits, hobgobelins et même bien pis, il n'avait aucune envie de trahir sa présence –, puis attela les étalons au carrosse, monta sur la banquette du cocher et se dirigea vers la forêt, vers l'ouest et vers la chaîne de montagnes qui se dressait à l'horizon.

Elle se cramponnait au cou de la licorne qui filait comme le vent au cœur de l'obscurité sylvestre.

L'enchevêtrement des ramures ne laissait pas pénétrer la moindre lueur et les ténèbres étaient totales. Mais la licorne scintillait, répandant une douce clarté lunaire, et sa cavalière, rayonnante, étincelait, comme si elle laissait dans son sillage une queue de comète. Et, tandis qu'elle passait ainsi entre les arbres, il aurait pu sembler, à qui la contemplait de loin, qu'elle brasillait, blanc noir, noir blanc, telle une minuscule étoile au firmament.

Chapitre
six

L'arbre a dit.

Tristan Thorn rêvait.

Perché dans un pommier, il regardait, par la fenêtre de sa chambre, Victoria Forester qui se déshabillait. À l'instant précis où elle ôtait sa robe – révélant, par là même, une assez jolie longueur de jupon –, il sentit la branche céder sous son poids. Le ciel bascula avec lui. Il tombait, tombait, pirouettant dans les airs et la clarté lunaire...

Il tombait dans la lune.

Et la lune lui parlait :

— Je t'en prie, lui murmurait-elle, d'une voix qui lui rappelait un peu celle de sa mère, protège-la. Protège mon enfant. Ils lui veulent du mal. J'ai fait tout ce que j'ai pu, mais...

La lune lui en aurait sans doute dit davantage – et peut-être le fit-elle –, mais elle ne fut plus soudain qu'un reflet miroitant dans l'eau, là-bas, au loin, en contrebas. C'est à ce moment-là qu'éprouvant une légère démangeaison, il tourna brusquement la tête et fut pris de torticolis. Comme il levait la main pour repousser l'araignée qui trottinait toujours allègrement sur sa joue, le soleil matinal lui tapa dans l'œil et le monde apparut, tout de vert et d'or vêtu.

— Tu dormais, dit une voix jeune et féminine au-dessus de lui.

Le ton était aimable ; l'accent, singulier. Mais, les feuilles n'avaient-elles pas remué quand elle avait parlé ? Il s'était couché à l'ombre d'un beau hêtre pourpre dont les ramures, il en aurait juré, venaient de s'agiter.

— Oui, répondit-il, sans parvenir à localiser sa mystérieuse interlocutrice dans l'épaisseur du feuillage. Je rêvais.

— Moi aussi, j'ai fait un rêve, cette nuit, dit la voix. Dans mon rêve, je pouvais voir la forêt tout entière. Quelque chose d'énorme la traversait. Et ça se rapprochait, se rapprochait et, tout à coup, j'ai su ce que c'était.

Elle s'était tue, soudainement.

— Et qu'est-ce que c'était ? demanda Tristan.

— Tout, répondit-elle. C'était Pan. Quand j'étais petite, quelqu'un – un écureuil peut-être (ils sont si bavards) ou une pie, ou peut-être un poisson – donc quelqu'un m'a dit que Pan possédait la forêt. Enfin, pas posséder, posséder. Pas comme s'il pouvait la vendre, l'enclore de murs ou...

— Couper les arbres, suggéra Tristan, coopératif.

Il y eut un silence. Où avait-elle bien pu passer ?

— Hello ? fit-il. Hello ?

Il y eut un nouveau bruissement de feuillage au-dessus de lui.

— Tu ne devrais pas dire des choses comme ça, le gourmanda la voix.

— Pardon, je suis désolé, s'excusa Tristan, sans être tout à fait sûr de ce qu'il avait à se faire pardonner. Vous disiez que Pan possédait la forêt...

— Absolument. Ce n'est pas bien difficile de posséder quelque chose. Ou toutes choses, d'ailleurs. Il suffit de savoir que c'est à toi et puis d'être prêt à t'en séparer. C'est dans ce sens-là que Pan possède la forêt. Et, dans mon rêve, il venait me voir. Toi aussi, tu étais dans mon rêve. Tu tirais une jeune fille derrière toi avec une chaîne. Elle était très très triste, cette jeune fille. Pan m'a demandé de t'aider.

— Moi ?

— Ça m'a fait tout chaud, là, à l'intérieur. Ça m'a tellement retournée que j'en avais des frissons partout, de la nervure de mes feuilles à la pointe de mes racines. C'est alors que je me suis réveillée. Et tu étais là, dormant à poings fermés, la tête reposant sur mon tronc, ronflant comme un cochon.

Tristan se gratta le nez et, au lieu de chercher une jeune fille dans les branches du hêtre pourpre, se mit à regarder le hêtre lui-même.

— Vous êtes un arbre, dit-il, donnant voix à ses déductions.

— Je ne l'ai pas toujours été, répondit la voix, dans un bruissement de feuillage. C'est un magicien qui m'a changée en arbre.

— Et vous étiez quoi, avant ? demanda Tristan.

— Tu crois qu'il m'aime – enfin, qu'il m'aime bien, je veux dire ?

— Qui ça ?

— Pan. Si tu étais le Seigneur de la Forêt, tu ne confierais pas une tâche pareille à quelqu'un, tu ne lui demanderais pas de faire tout son possible, de ne ménager aucun effort pour secourir et aider X ou Y par tous les moyens, si tu n'avais pas un peu d'estime pour lui, n'est-ce pas ?

— Eh bien...

— Une dryade, l'interrompit la voix, avant qu'il n'ait eu le temps de faire la preuve de sa diplomatie légendaire. J'étais une dryade, une nymphe des bois. Mais, un jour que j'étais poursuivie par un prince – pas un prince charmant, non, l'autre modèle – eh bien, on imaginerait qu'un prince – même du mauvais modèle – aurait, malgré tout, une petite notion des limites à ne pas dépasser, n'est-ce pas ?

— On l'imaginerait ?

— C'est bien ce que je pense aussi. Mais non. Alors, tout en m'enfuyant, j'ai tenté deux ou trois petites invocations et – patatras ! – un arbre. Qu'est-ce que tu dis de ça ?

— Eh bien, répondit Tristan, je ne sais pas à quoi vous ressembliez quand vous étiez une nymphe, madame, mais vous êtes un arbre magnifique.

L'arbre ne répondit pas tout de suite, mais un délicat frémissement parcourut son feuillage.

— En nymphe aussi, j'étais plutôt craquante, avouat-elle, avec une coquetterie de jouvencelle.

— Mais qu'est-ce que vous entendez par « secourir », exactement ? s'enquit Tristan. N'allez pas croire que je me plaigne – j'ai bien besoin d'aide, en ce moment, et toutes les bonnes volontés, quelles qu'elles soient, sont bonnes à prendre –, mais, voyez-vous, ce n'est pas vraiment vers un arbre que je me tournerais en premier pour demander de l'aide. Vous ne pouvez ni venir avec moi, ni me procurer de quoi manger, ni ramener l'étoile ici, ni nous renvoyer tous les deux à Wall pour aller voir ma bien-aimée. Je suis persuadé que vous feriez un extraordinaire parapluie, par exemple. Le seul petit problème, c'est que, pour l'instant du moins, il ne pleut pas...

Le hêtre bruissa.

— Pourquoi ne pas me raconter ton histoire depuis le début et me laisser juger par moi-même si je suis en mesure de t'aider ou non ?

D'abord, Tristan protesta. Il sentait l'étoile lui échapper et la distance qui les séparait, augmenter à la vitesse d'une licorne au galop : il n'avait pas une minute à perdre – surtout pas au récit de ses aventures ! Mais, à la réflexion, si sa quête avait un tant soit peu avancé, n'était-ce pas parce qu'il avait toujours accepté l'aide qu'on lui avait offerte en chemin ? Il alla donc s'asseoir sur le tapis de mousse, face au hêtre pourpre, et lui raconta tout ce qui lui passait par la tête : la pureté et la sincérité de son amour pour Victoria Forester ; la promesse qu'il lui avait faite de lui rapporter une étoile filante – pas n'importe laquelle : celle qu'ils avaient vue tomber du ciel, quand, seuls, tous les deux, au sommet du mont Dyties, ils unissaient leurs regards dans la contemplation du monde... – et son départ pour le Pays des fées. Il lui raconta ses pérégrinations, lui parla du petit homme velu et du peuple des Fées qui lui avait volé son beau chapeau. Il lui parla de la chandelle magique et des lieues qu'il avait parcourues pour rejoindre l'étoile. Il lui parla du lion et de la licorne et de la façon dont l'étoile lui avait fait faux bond.

À la fin, il y eut un long moment de silence. Puis les feuilles pourpres commencèrent à s'agiter, frissonnant d'abord tout doucement, comme sous la caresse d'une brise printanière, puis de plus en plus violemment, comme si une tempête se levait.

— Si tu ne l'avais pas délivrée, si elle avait dû briser ses chaînes, reprit la voix d'un ton farouche, aucun pouvoir terrestre ou céleste n'aurait pu me contraindre à te secourir. Non, quand bien même le Grand Pan ou Dame Sylvia, en personne, m'auraient implorée et suppliée, je n'aurais pas cédé. Mais tu l'as libérée, et c'est pour cette raison que je vais t'aider.

— Merci, murmura Tristan.

— Je vais t'énoncer trois vérités : deux d'entre elles, dès maintenant, et la dernière, au moment où tu estimeras en avoir le plus besoin. À toi d'en décider.

« Premièrement, l'étoile court un grand danger. Ce qui se passe au fin fond d'un bois ne tarde pas à se savoir jusqu'en ses plus lointains confins. Les arbres parlent au vent et le vent porte leur message à la forêt voisine. Il y a des forces à l'œuvre contre elle, des forces qui lui veulent du mal et même bien pis. Tu dois la retrouver et la protéger.

« Deuxièmement, il y a une route qui traverse cette forêt, là, derrière ce sapin (et je pourrais t'en raconter à propos de ce sapin ! À faire rougir une montagne !) et, dans quelques minutes, un attelage va passer sur cette route. Dépêche-toi, sinon tu vas le rater.

« Et troisièmement... tends les mains vers moi.

Tristan s'exécuta. Tout là-haut, juste au-dessus de lui, une feuille pourpre se détacha de la cime, et tomba, de lentes vrilles et languides pirouettes en vol plané majestueux, pour atterrir délicatement au creux de sa paume.

— Voilà, se félicita l'arbre. Garde-la précieusement. Et, quand tu en auras vraiment besoin, écoute-la bien. Et, maintenant, l'attelage. Il est presque déjà là. Cours ! Cours !

Tout en fourrant la feuille dans la poche de sa tunique, Tristan empoigna son sac et prit ses jambes à son cou. Par-delà la clairière, lui parvenait nettement le fracas des sabots qui se rapprochaient, se rapprochaient... *Je n'y arriverai jamais*, se désespérait-il. *Je n'y arriverai jamais, je le sais, je le sens, j'en suis sûr !* Il accéléra pourtant l'allure jusqu'à ne plus entendre que les coups de boutoir de son cœur cognant dans sa poitrine et le sifflement de l'air qu'aspiraient à grand-peine ses poumons. Il fonça à travers les fougères, fendit les broussailles et atteignit la route, juste au moment où l'attelage sortait du virage.

C'était un carrosse noir, tiré par quatre chevaux noirs, qu'un quidam blafard, vêtu d'une grande robe noire, menait au triple galop. Moins de vingt pas l'en séparaient encore et Tristan se tenait là, tout chancelant sur le bord de la route, tentant vainement de reprendre haleine. Il voulut interpeller le cocher, mais il avait la gorge sèche et le souffle court. Le filet de voix qui lui sortit du gosier n'émit guère qu'un pitoyable et inaudible croassement. Il voulut crier, mais ne parvint qu'à s'enrouer.

L'attelage passa devant lui sans même ralentir.

Épuisé, découragé, suffoquant dans la poussière, Tristan se laissa choir sur la terre battue. Mais, à peine avait-il recouvré sa respiration que, rongé d'inquiétude, il se relevait. Il n'avait pas marché dix minutes que le carrosse se dressait devant lui, immobile, au beau milieu du chemin. Une énorme branche de chêne – qui aurait pu, sans les déshonorer, tenir lieu de tronc à bien des centenaires – s'était couchée en travers de la route, juste devant les chevaux, et le cocher – qui était aussi le seul occupant du carrosse – s'échinait à la soulever pour dégager la voie.

— Enfer et damnation ! pestait ledit cocher qui, d'après les estimations de Tristan, devait approcher la cinquantaine. Pas un souffle de vent, pas la moindre tempête à l'horizon ! Et la voilà qui tombe, vlan ! sans raison. Les chevaux en tremblent encore !

L'homme avait une voix de stentor.

Tristan l'aida à dételer les quatre étalons noirs et à les encorder à la branche de chêne. Puis, hommes et bêtes unissant leurs efforts, les uns poussant, les autres tirant, l'obstacle fut traîné sur le bas-côté. Tristan remercia intérieurement le hêtre pourpre, le chêne qui avait sacrifié sa branche et Pan, le Seigneur de la Forêt, avant de demander au cocher s'il accepterait de l'emmener.

— Je ne prends pas de passagers, répondit l'homme en noir, en caressant une barbe naissante.

— À votre guise, répliqua Tristan. Mais, puis-je me permettre de vous faire remarquer que, sans moi, vous seriez encore bloqué ici ? C'est sans doute la Providence qui vous a placé sur mon chemin, tout comme Elle m'a placé sur le vôtre. Qu'avez-vous à perdre ? Je ne vous écarterai pas de votre route et vous serez peut-être bien content d'avoir une robuste paire de bras à disposition, le cas échéant.

L'homme examina Tristan de la tête aux pieds, puis il plongea la main dans l'aumônière de velours qui pendait à sa ceinture et en sortit une poignée de petits carrés de granit rose.

— Prends-en un, lui dit-il.

Tristan choisit un carré de granit et le lui présenta.

— Mmmm, maugréa l'homme en noir, en jetant un coup d'œil soupçonneux au symbole gravé sur la surface polie. Prends-en un autre.

Tristan obtempéra.

— Encore un autre.

L'homme se frotta de nouveau le menton.

— D'accord, tu peux venir avec moi, conclut-il. Les runes semblent formelles. Ce ne sera pourtant pas sans danger. Mais, peut-être y aura-t-il effectivement d'autres obstacles à lever. Tu peux t'asseoir à l'avant avec moi, si tu veux. Tu me tiendras compagnie.

C'est curieux, se dit Tristan, en montant pour s'installer sur la banquette du cocher. La première fois qu'il avait hasardé un coup d'œil à l'intérieur du carrosse, il aurait juré avoir vu cinq gentilshommes blêmes, tout de gris vêtus, qui le considéraient d'un air triste. Pourtant, quand il avait regardé une seconde fois, il n'y avait plus personne.

Cependant que le carrosse filait à grand bruit sur le chemin ombragé envahi d'herbes folles, Tristan pensait à l'étoile. Il se faisait du souci pour elle. Certes, elle n'avait pas très bon caractère, mais, en l'occurrence, elle avait des excuses, se disait-il. Il espérait de tout cœur qu'elle saurait se garder des périls qui la menaçaient. *Pourvu que je la rattrape avant qu'il ne lui arrive malheur !* priait-il avec ferveur.

D'aucuns racontaient que la chaîne de montagnes qui traversait cette partie de Faërie du nord au sud, telle quelque monumentale échine, avait jadis été un géant, devenu si gros et si lourd qu'un jour, épuisé par le pur et simple effort de vivre, il s'était couché dans la plaine et avait sombré dans un sommeil si profond que des siècles entiers pouvaient s'écouler entre chaque battement de son cœur. Cela se serait passé il y a fort longtemps, au Premier Âge du monde, quand tout n'était encore qu'air, terre, eau et feu – si tant est que cette histoire contînt une once de vérité ; ce qui n'était pas prouvé. Au reste, il ne subsistait guère de survivants pour prétendre le contraire, ou si peu. Il n'en demeurait pas moins qu'on appelait les quatre grandes montagnes de cette cordillère le mont Tête, le mont Épaule, le mont Bedon et le mont Genoux. Et ses contreforts sud étaient plus connus sous le nom de Pieds. Deux cols permettaient de franchir ces montagnes : un, entre la tête et les épaules – à l'emplacement normal du cou – et un, dans le voisinage immédiat du mont Bedon, côté sud.

À l'hostilité de ces montagnes sauvages répondait celle des créatures, plus sauvages encore, qui les peuplaient : trolls gris ardoise, hommes-bêtes hirsutes égarés, bouquetins, nains mineurs, ermites, exilés, sans oublier l'occasionnelle sorcière des cimes. Leurs sommets n'étaient certes pas parmi les plus élevés de Faërie – comme le mont Huon, que domine le Fort de la Tempête, par exemple –, mais, pour un voyageur solitaire, les traverser tenait tout de même de la gageure.

La reine des sorcières était satisfaite : elle avait franchi le col situé au sud du mont Bedon en deux jours. Après quoi, elle s'était postée à l'entrée du défilé et, depuis lors, elle attendait. Ses deux boucs broutaient, sans conviction, le buisson d'épineux auquel elle les avait attachés, cependant qu'assise sur le bord de sa carriole, elle affûtait ses couteaux avec une pierre à aiguiser.

Lesdits couteaux étaient de véritables reliques. Leur manche était d'os sculpté et leur lame, des éclats de roche magmatique d'un noir de jais piquetée de cristaux de neige : inclusions à jamais emprisonnées dans l'obsidienne. Il y en avait deux : le plus petit, un couperet avec une lame de hachette, était une arme lourde et solide faite pour ouvrir la cage thoracique, disjoindre les os et les débiter ; l'autre, avec sa longue lame de dague, était fait pour extirper le cœur. Quand ils furent si bien aiguisés qu'elle aurait pu vous en passer le fil en travers de la gorge sans que vous vous en inquiétiez davantage que de la subtile caresse d'un cheveu égaré, alors même qu'avec votre sang chaud c'était votre vie qui vous échappait, la reine des sorcières les mit de côté et poursuivit ses préparatifs.

Elle se dirigea d'abord vers les boucs pour leur chuchoter quelque chose à l'oreille.

Elle n'avait pas plus tôt prononcé le mot magique qu'à leur place se tenaient un homme avec une barbichette blanche et une jeune femme d'apparence garçonnière au regard inexpressif, tous deux muets comme des carpes.

Elle s'accroupit ensuite à côté de la carriole et lui murmura quelques paroles sibyllines. La carriole ne sembla guère s'en émouvoir et, furieuse, la sorcière tapa du pied.

— Je me fais vieille, dit-elle à ses deux serviteurs, qui ne lui répondirent pas – si tant est qu'ils l'aient comprise, ce dont leur manque de réaction permettait de douter. Les objets inanimés ont toujours été plus difficiles à transmuter que les êtres animés : leurs âmes sont plus anciennes, plus stupides et font toute une histoire pour se laisser convaincre. Ah ! si j'avais encore vingt ans... Tiens ! à l'aube de la création, je pouvais transformer des montagnes en mers et des nuages en palais. Je pouvais peupler une cité avec les galets de la grève. Ah ! si seulement je pouvais recouvrer ma jeunesse...

Elle soupira et leva la main. Une petite flamme bleue se mit alors à danser au bout de ses doigts, puis, comme elle touchait la carriole, se volatilisa dans les airs.

Quand elle se redressa, de fines mèches grises striaient le noir corbeau de son épaisse chevelure et de profonds cernes bleuâtres déparaient ses grands yeux de braise. Mais la carriole avait disparu et, à sa place, se dressait une petite auberge qui montait la garde à l'entrée du défilé.

Il y eut, soudain, un coup de tonnerre assourdi et, au loin, un éclair.

L'enseigne de l'auberge se balançait en grinçant dans le vent, tant et si bien que la petite carriole qui y était représentée semblait, à tout instant, sur le point de s'envoler.

— Vous deux, ordonna la sorcière, à l'intérieur ! Elle chevauche par ici : elle sera obligée de traverser le défilé. Il ne me reste plus qu'à m'assurer qu'elle franchira ce seuil. Toi, dit-elle à l'homme à la barbichette, tu t'appelles Billy. Tu es l'aubergiste. Je serai ta femme. Et ça, fit-elle en désignant le garçon manqué aux yeux vitreux – qui naguère s'appelait Brevis –, c'est notre fille, la serveuse.

Le tonnerre gronda de nouveau, plus fort cette fois. Son écho dévala les sommets.

— Il va bientôt pleuvoir, annonça la sorcière. Allons allumer le feu.

Il la sentait se rapprocher : elle était encore loin devant eux et progressait régulièrement, toujours dans la même direction. Pourtant, il lui semblait qu'il commençait à gagner du terrain.

Par chance, le carrosse suivait le même itinéraire qu'elle. À un moment pourtant, la route bifurqua et l'angoisse le saisit : et s'ils prenaient le mauvais chemin ? Il était déjà prêt à sauter à terre. Autant abandonner le carrosse, quitte à continuer tout seul à pied, plutôt que de la perdre.

Son compagnon tira sur les rênes, descendit de son siège et sortit ses runes. Sa consultation achevée, il remonta et prit à gauche.

— Si ce n'est pas trop indiscret de ma part, hasarda Tristan, puis-je vous demander ce que vous poursuivez ?

— Ma destinée, répondit l'homme, après avoir marqué un temps de réflexion. Mon droit à la souveraineté. Et toi ?

— J'ai, par ma conduite, offensé une jeune fille, répondit Tristan, et je voudrais faire amende honorable.

À peine avait-il prononcé ces mots qu'il fut convaincu de leur sincérité : c'était, à n'en pas douter, la plus stricte vérité.

Le cocher grommela, mais ne fit aucun commentaire.

Les futaies se faisaient de plus en plus clairsemées et le dais des ramures s'effilochait. Tristan leva les yeux vers les montagnes qui se dressaient devant eux.

— Qu'est-ce qu'elles sont hautes ! hoqueta-t-il, le souffle coupé.

— Quand tu auras quelques années de plus, lui dit son compagnon, il faudra venir me rendre visite dans ma forteresse, sur les cimes du mont Huon. Ah ! Le mont Huon, voilà ce qu'on peut appeler une montagne ! De là-haut, on domine des sommets à côté desquels ceci (et il agita la main en direction du mont Bedon qui se découpait à l'horizon) n'est guère qu'une misérable colline.

— Pour ne rien vous cacher, lui répondit Tristan, j'espère bien passer le reste de ma vie à Wall, à élever des moutons. Avec toutes ces histoires de chandelle, d'arbre, de jeune demoiselle en perdition et de licorne, j'ai déjà eu mon content d'aventures, et même bien plus que tout homme n'est en droit d'espérer. Mais c'est l'intention qui compte et je vous remercie de votre invitation. Si jamais vous passez un jour par Wall, venez donc chez moi. Je vous donnerai des vêtements de la meilleure laine, du fromage au lait de brebis et autant de ragoût de mouton que vous aurez d'estomac pour en avaler.

— C'est vraiment trop aimable à toi, répondit le cocher.

Recouverte, à présent, d'un tapis de cailloux concassés et de gravier, la route était devenue plus praticable et il fit claquer son fouet pour accélérer l'allure.

— Tu as vu une licorne, dis-tu ?

Tristan s'apprêtait déjà à lui raconter, par le menu, les circonstances de sa rencontre avec la licorne, mais, tout compte fait, se ravisa.

— C'est une créature des plus nobles, répondit-il simplement.

— Je n'en ai jamais vu. Mais on prétend que les licornes sont les créatures de la Lune, qu'elles sont à son service et lui obéissent aveuglément...

L'homme en noir avait parlé d'un air songeur, laissant sa phrase en suspens, mais il se reprit aussitôt et ajouta :

— Nous atteindrons les montagnes demain soir. En attendant, nous ferons halte au coucher du soleil. Si tu veux, tu pourras dormir à l'intérieur. Quant à moi, je dormirai près du feu.

Il avait conservé un ton égal. Sa voix n'avait pas trahi la moindre émotion. Pourtant, Tristan sut, en cet instant, avec une certitude qui le stupéfia, tant par sa soudaineté que par la force avec laquelle elle s'imposait à lui, que cet homme avait peur, qu'il était même en proie à une terreur indicible qui le rongeait jusqu'aux tréfonds de l'âme.

La foudre pilonna les sommets, cette nuit-là. Tristan dormait sur la banquette de cuir du carrosse. La tête posée sur un sac d'avoine, il rêva de fantômes, de la Lune et des étoiles.

Il se mit à pleuvoir dès l'aube, brusquement, comme si, tout à coup, le ciel tournait en eau. Les montagnes disparaissaient derrière un épais banc de nuages gris et bas. Tristan et son compagnon attelèrent les chevaux au carrosse et reprirent la route sous une pluie battante. Dorénavant, le terrain serait perpétuellement en pente et les chevaux commençaient à peiner.

— Tu peux t'abriter à l'intérieur, proposa le cocher. Cela ne sert à rien de nous faire mouiller tous les deux.

Ils avaient bien trouvé des cirés sous la banquette, mais ils étaient déjà tout trempés.

— À moins de piquer une tête dans une rivière, je ne vois pas comment je pourrais être plus mouillé que je ne le suis déjà, répondit Tristan. Autant rester ici. Et puis, deux paires d'yeux et de mains ne seront pas de trop pour nous sortir de là.

Son compagnon grogna et s'essuya les yeux et la bouche d'une main dégoulinante.

— Tu es bien bête, mon garçon. Mais j'apprécie.

Il fit passer les rênes dans sa main gauche et lui tendit la main droite.

— Je me nomme Primus. Lord Primus.

— Tristan. Tristan Thorn, déclara Tristan, estimant que l'homme avait bien gagné le droit de connaître sa véritable identité.

Ils se serrèrent la main. L'averse redoubla. Le sentier se changea en torrent et les chevaux ralentirent encore le pas : ils piétinaient plus qu'ils n'avançaient. La pluie tombait si dru qu'elle bouchait l'horizon. *Une vraie purée de poix !* songeait Tristan. *À faire blêmir le plus épais des brouillards londoniens.*

— Il y a un homme, dit tout à coup Lord Primus.

Il devait crier pour se faire entendre en dépit de la pluie et du vent qui lui arrachait les mots de la bouche et les emportait au gré de ses bourrasques.

— Il est grand, s'égosilla-t-il de plus belle. Il me ressemble un peu – en plus mince – et il a des allures de corbeau. Son regard semble indifférent, inexpressif, mais la mort rôde dans ses yeux. Il s'appelle Septimus, car il est le septième fils que mon père a engendré. Si jamais tu le vois, sauve-toi sans attendre, va te cacher. C'est après moi qu'il en a, mais il n'hésitera pas à te tuer si tu te mets en travers de sa route ou, peut-être, à se servir de toi pour m'assassiner.

Une violente rafale rabattit l'averse et Tristan reçut un plein baquet d'eau dans le cou.

— À vous entendre, il a l'air très dangereux, dit-il en grelottant, sans savoir si c'était plus de froid que de peur.

— C'est l'homme le plus dangereux que tu rencontreras jamais.

Tristan scrutait silencieusement le rideau de pluie et la pénombre. Il avait de plus en plus de mal à voir la route.

— Si tu veux mon avis, reprit Primus, cette tempête n'est pas naturelle.

— Pas naturelle ?

— Ou, disons, plus-que-naturelle, surnaturelle, si tu préfères. J'espère trouver une auberge en chemin. Les chevaux ont besoin de repos et, si l'on me proposait un lit douillet et une belle flambée, je ne dirais pas non. Ni à un bon repas, d'ailleurs.

Tristan dut hurler pour faire entendre un « moi non plus » convaincu. Ils demeurèrent un moment silencieux, assis là, côte à côte, sans bouger, sous des trombes d'eau. Tristan pensait à l'étoile et à la licorne. Elle devait être transie, par ce temps, et trempée jusqu'aux os. Il se faisait du souci pour sa jambe cassée, sans même parler des courbatures après une aussi longue chevauchée. Et tout était sa faute ! Il se maudissait.

— Je suis l'être le plus misérable que le monde ait jamais porté, soupira-t-il.

Ils s'étaient arrêtés pour nourrir les chevaux et leur plongeaient les naseaux dans des musettes d'avoine humide.

— Tu es jeune et amoureux, répondit Primus. En pareilles circonstances, n'importe quel jeune homme est « l'être le plus misérable que le monde ait jamais porté ».

Tristan se demanda comment Lord Primus pouvait avoir deviné l'existence de Victoria Forester. Il s'imaginait déjà de retour à Wall, lui racontant ses aventures devant une belle flambée, à la veillée. Mais, sans qu'il sût vraiment pourquoi, ses histoires lui parurent, soudain, d'une platitude affligeante.

Ce jour-là, le crépuscule avait aussitôt chassé l'aube et le ciel était presque noir. La route grimpait toujours. De temps à autre, la pluie mollissait, puis elle redoublait, plus forte que jamais.

— Ce ne serait pas une lumière là-bas ? s'écria tout à coup Tristan.

— Je n'y vois absolument rien. C'était peut-être le feu de quelque insensé perdu dans la tourmente ou un éclair...

Comme ils amorçaient un virage, Primus s'exclama à son tour :

— Non, tu as raison ! C'est bien une lumière ! Bravo, mon garçon, tu as l'œil ! Mais ces montagnes sont infestées de pièges et de créatures malveillantes. Espérons que notre comité d'accueil n'en fera pas partie...

Sentant l'écurie, les chevaux donnèrent un ultime coup de collier et le carrosse accéléra brusquement l'allure. C'est alors qu'à la faveur d'un éclair, deux parois à pic apparurent de part et d'autre de la route.

— Nous sommes en veine, l'ami ! tonna Primus, de sa voix de stentor. C'est une auberge !

Chapitre
sept

À l'Enseigne de la Carriole.

L'étoile était trempée jusqu'aux os quand elle parvint à l'entrée du défilé ; trempée, triste et grelottante. Mais ce n'était pas sur son sort qu'elle s'apitoyait. Broussailles et fougères sylvestres avaient peu à peu laissé place à la roche stérile et la licorne n'avait rien mangé depuis un jour entier. Et puis, ses sabots sans fers n'étaient pas faits pour les sentes pierreuses, ni son dos, pour porter un cavalier et, plus elle avançait, plus elle ralentissait.

Tout au long du trajet, l'étoile n'avait cessé de maudire le jour où elle était tombée dans ce monde pluvieux et hostile. Lui qui paraissait si beau, si accueillant, vu du ciel ! Mais c'était avant, avant sa chute. Maintenant, elle le détestait, lui et tout ce qui s'y rapportait. Tout, sauf la licorne. Pourtant, elle était tellement meurtrie par sa folle chevauchée, tellement courbaturée et fourbue qu'elle aurait volontiers renoncé à si douce compagnie pour peu qu'elle ait pu un seul instant se reposer.

Après toute une journée passée sous des trombes d'eau, les lumières de l'auberge lui parurent le plus beau spectacle qu'il lui ait été donné de voir depuis son arrivée sur Terre. « Attention où tu mets les pieds. Attention où tu mets les pieds », semblait lui dire le clapotis de la pluie. Promesse de chaleur et de réconfort, le large pinceau de lumière dorée, qui sortait par la porte ouverte, paraissait fendre la grisaille pour lui ouvrir un chemin vers le salut. Parvenue à moins de cinquante mètres de l'auberge, la licorne se figea subitement et refusa de faire un pas de plus.

— Holà ! lança une voix féminine depuis l'entrée.

L'étoile flatta sa monture, lui parlant doucement à l'oreille pour l'amadouer, mais la licorne ne voulut rien entendre. Paralysée dans la lumière blonde, tel quelque fantôme blafard surpris par le point du jour, elle refusait obstinément d'avancer.

— As-tu l'intention de rentrer, mignonne ? Ou vas-tu rester plantée là sous la pluie ?

Enjoué et amical, le ton de la voix lui fit chaud au cœur et la réconforta : juste ce qu'il fallait de sollicitude pour dégauchir un robuste sens pratique.

— On peut t'apporter à manger, si c'est des vivres que tu veux. Mais y a une belle flambée dans la ch'minée et assez d'eau chaude pour un bon bain. Rien d'tel pour s'réchauffer les os par c'temps d'chien.

— Je... je ne pourrai pas entrer toute seule, bredouilla l'étoile. Ma jambe...

— Oh ! ma pauv'petite ! J'vais dire à Billy d'te porter – c'est mon mari, Billy – et y a du foin et d'l'eau fraîche aux écuries pour ta bête.

Comme elle s'approchait d'elle, la licorne jeta des regards effarés en tous sens.

— Là, là, ma belle, la cajola la femme de Billy. Je n'vais pas v'nir trop près. Après tout, ça fait beau temps qu'j'ai plus c'qu'il faut d'virginité pour toucher une licorne et belle lurette qu'on n'en a pas vu par ici, d'ailleurs...

La licorne consentit enfin à suivre la femme aux longs cheveux gris jusqu'aux écuries, mais elle paraissait nerveuse et demeurait toujours à distance respectueuse. Elle longea tout le bâtiment pour rejoindre la stalle du fond, y entra et se coucha dans la paille sèche. Défaite et dégoulinante, l'étoile parvint tant bien que mal à mettre pied à terre.

Le fameux Billy s'avéra être un brave homme à barbe blanche d'abord plutôt bourru. Il n'ouvrit pas la bouche, mais la porta sans rechigner jusque dans l'auberge et la déposa délicatement sur un tabouret, devant un feu crépitant.

— Ma pauv'petite, s'écria sa femme, qui les avait suivis à l'intérieur. Non mais, r'gardez-moi ça ! Plus ruisselante qu'une nixe ! R'gardez-moi cette mare sous son tabouret ! Et sa jolie robe ! Oh ! dans quel état cette enfant s'est mise ! Tu dois être trempée jusqu'aux os, ma mignonne...

Sans plus attendre, elle fit sortir son mari, puis aida l'étoile à ôter sa robe bleue qu'elle pendit à un crochet près du feu. Chaque goutte d'eau qui s'en échappait sifflait et grésillait en tombant sur les briques brûlantes de l'âtre.

Devant la cheminée trônait une grande cuve en fer-blanc que la femme de l'aubergiste s'empressa de dissimuler derrière un paravent de papier huilé.

— Comment tu l'aimes ton bain ? s'enquit-elle aimablement. Tiède, chaud ou à-faire-rougir-une-écrevisse ?

— Je ne sais pas, répondit l'étoile, qui, hormis la topaze et la chaîne enroulée autour de sa taille, se trouvait entièrement nue et si troublée par le tour inattendu que prenaient les événements que la tête lui tournait. Je n'ai jamais pris de bain.

— Jamais ! s'écria la femme de l'aubergiste, manifestement stupéfaite. Oh ! mon pauv'chou ! Eh bien, on n'va pas l'faire trop chaud alors. Appelle-moi si tu veux que j'te rajoute un peu d'eau bouillante. J'en ai sur le feu, à la cuisine. Et, quand tu auras fini, j't'apport'rai un bon vin aux épices et quelques beaux navets rôtis.

L'étoile n'eut pas le temps de protester qu'elle avait déjà quitté la pièce, la laissant assise dans le tub, sa jambe éclissée jaillissant du baquet pour reposer sur le tabouret. Au début, elle trouva l'eau trop chaude, mais elle finit par s'y habituer et, peu à peu, se laissa gagner par une délassante torpeur. À dire vrai, c'était la première fois, depuis sa chute, qu'elle se sentait si complètement, si parfaitement, si absolument bien.

— Si c'est pas un amour, roucoula la femme de l'aubergiste, dès son retour. Ça va mieux, maint'nant ?

— Beaucoup mieux, merci, répondit l'étoile.

— Et ton cœur ? Comment il va, ton cœur ?

— Mon cœur ?

La question lui paraissait étrange, mais l'inquiétude de son hôtesse paraissait sincère.

— Il se sent mieux, lui aussi. Plus heureux. Plus tranquille. Moins agité.

— Bien. Très bien. On va s'occuper de lui, hein ? Qu'embrasé d'une nouvelle ardeur, il brûle haut et fort dans ta poitrine, qu'il flamboie à l'intérieur.

— Je suis persuadée qu'avec tous vos bons soins mon cœur va flamboyer de bonheur, répondit l'étoile.

L'autre se pencha alors vers elle et lui prit le menton.

— Si c'est pas adorable, ça ! Quel trésor ! Et qu'ça en dit des jolies choses en plus ! s'exclama-t-elle, avec un petit sourire complaisant. Tu enfil'ras ça en sortant du bain, ajouta-t-elle, en jetant un peignoir sur le rebord du paravent. Oh, non, non ! prends ton temps, ma mignonne ! Ça peut attendre. Il n'va pas s'envoler, tu sais. Il rest'ra là, bien sagement, tout doux, tout chaud, rien qu'pour toi. Et puis, ta jolie robe ne s'ra pas sèche avant encore un bon moment. Tu n'auras qu'à m'appeler quand tu voudras sortir du bain. J'viendrai t'donner un coup d'main.

Se penchant encore davantage, elle vint poser un doigt glacé sur la poitrine de l'étoile, juste entre ses seins.

— Un bon gros cœur bien robuste, dit-elle avec un sourire satisfait.

Se pourrait-il qu'il y ait vraiment de braves gens dans ce monde de ténèbres, en définitive ? se disait l'étoile, le corps au chaud et le cœur content. Comme il faisait bon être À l'Enseigne de la Carriole, là où tout était fait pour réconforter le voyageur harassé, quand il pleuvait à torrents et que le vent hurlait au-dehors !

Finalement, la femme de l'aubergiste et sa fille aidèrent l'étoile à sortir de son bain. La topaze qu'elle portait pendue à la taille accrocha l'éclat des flammes et scintilla jusqu'à ce qu'elle disparaisse, avec son corps dénudé, sous l'épaisse éponge du peignoir.

— Et maint'nant, belle enfant, fit la femme de l'aubergiste, en la guidant jusqu'à une longue table de bois, viens donc par ici et installe-toi confortablement.

Au bout de la table étaient posés un couperet et un long couteau, tous deux à manche d'os et à lame d'obsidienne. L'étoile y jeta un coup d'œil distrait en gagnant, clopin-clopant, le banc adjacent pour s'y asseoir maladroitement.

Une violente bourrasque secoua tout à coup les persiennes et les bûches de l'âtre s'embrasèrent de plus belle, dans un bouquet de flammes bleues, blanches et vertes. Soudain, une voix de stentor tonna à l'extérieur, une voix si forte qu'elle parvenait à couvrir le vacarme des éléments déchaînés.

— Holà ! Aubergiste ! Du rôt ! Du vin ! Du feu ! Où est donc le valet d'écurie ?

L'aubergiste et sa fille demeurèrent sans réaction, le regard tourné vers la femme en robe rouge, semblant quêter ses instructions. Cette dernière fit la moue.

— Ça peut attendre. Un p'tit moment, du moins. Après tout, tu n'vas pas nous fausser compagnie d'si tôt, hein, ma jolie ? lança-t-elle, s'adressant à l'étoile. Pas avec une jambe dans cet état. Et pas avant qu'la pluie mollisse un peu, hein ?

— J'apprécie votre hospitalité plus que je ne saurais dire, répondit l'étoile, avec chaleur.

— J'veux bien l'croire ! acquiesça l'autre, tout en tripotant nerveusement les couteaux noirs, comme si elle mourait d'envie de faire quelque chose et commençait à perdre patience. On aura tout le temps quand ces empoisonneurs seront partis, pas vrai ?

Rien de tout ce que Tristan avait vu, depuis qu'il avait franchi la frontière du Pays des fées, ne lui avait paru plus beau, plus réjouissant que cette lumière scintillant au cœur de la tourmente. Tandis que Primus s'époumonait pour ameuter la maisonnée, il détela les chevaux épuisés et les mena l'un après l'autre aux écuries jouxtant l'auberge. Il y avait déjà un cheval blanc endormi dans la stalle du fond, mais il avait bien trop à faire pour y prêter attention.

Il savait – quelque part, en son for intérieur, dans ce mystérieux recoin de son esprit, de son cœur ou d'ailleurs, qui connaissait la direction et l'emplacement de choses qu'il n'avait jamais vues et de lieux où il n'était jamais allé – que l'étoile était tout près. C'était rassurant de la savoir si proche, en un sens, mais cela le rendait nerveux. Il savait que les chevaux étaient plus fatigués et plus affamés que lui : son dîner – et donc, présumait-il, sa confrontation avec l'étoile – pourrait attendre.

— Je vais panser les chevaux, dit-il à Primus. Sinon, ils vont attraper froid.

L'homme lui posa la main sur l'épaule.

— Tu es un brave garçon. J'enverrai quelqu'un de l'auberge t'apporter une bonne pinte de bière.

Tout en bouchonnant les chevaux, Tristan ne cessait de penser à l'étoile. Qu'allait-il lui dire ? Et elle, qu'allait-elle lui dire ? Il brossait le dernier étalon quand une serveuse aux yeux éteints s'approcha de lui, une chope de vin fumant à la main.

— Posez ça là, lui dit-il. Je le boirai de bon cœur dès que j'aurai les mains libres.

La fille s'exécuta sans piper et sortit.

Ce fut à ce moment-là que le cheval enfermé dans la stalle du fond se mit à donner des coups de sabot dans sa porte.

— Du calme, là-bas ! cria Tristan. Du calme, l'ami. Je vais essayer de vous trouver un peu d'avoine et, s'il y en a assez, tu auras ta part comme tout le monde.

L'étalon dont il s'occupait avait un gros caillou coincé dans la fourchette du sabot antérieur droit et il s'efforçait de l'extraire avec douceur.

« *Mademoiselle*, avait-il décidé de lui dire, *je vous prie d'accepter mes plus humbles et plus sincères excuses.* » « *Monsieur*, lui répondrait-elle, *je vous pardonne de grand cœur. Et maintenant, allons dans votre village où vous me présenterez à votre bien-aimée en tant que gage de votre fervente et indéfectible dévotion...* »

Un formidable fracas interrompit ses méditations et un énorme cheval blanc – qui, il s'en rendit compte aussitôt, n'avait, à dire vrai, rien d'un cheval – enfonça la porte de sa stalle et chargea dans sa direction, rostre pointé sur lui.

Tristan se jeta dans la paille en se protégeant la tête des bras.

Au bout de quelques instants, comme il ne se passait rien, il hasarda un coup d'œil incertain. La licorne s'était immobilisée devant la chope de vin chaud et y plongeait sa corne.

Les jambes flageolantes, Tristan se releva. Le vin s'était mis à bouillonner et de petits nuages de vapeur nauséabonde s'en échappaient. C'est alors qu'une idée lui traversa l'esprit – souvenir de quelque conte de fées ou légende enfantine depuis longtemps oubliés, sans doute : la corne de licorne n'était-elle pas un puissant antidote...

— Du poison ! souffla-t-il.

La licorne redressa la tête. Quand elle riva son regard noir au sien, Tristan sut qu'il avait vu juste. Son cœur cognait dans sa poitrine. Le vent tourbillonnait autour de l'auberge en hurlant comme une sorcière en furie.

Tristan s'élançait déjà vers la porte de la stalle quand il se figea brusquement et réfléchit. Il fouilla dans la poche de sa tunique, y trouva une feuille de hêtre pourpre sèche adhérant à un petit morceau de cire. Il décolla la feuille avec soin, puis, l'appuyant contre son oreille, écouta attentivement ce qu'elle avait à lui dire.

— Du vin, Milord ? demanda une femme d'âge mûr, vêtue d'une longue robe rouge, quand Primus entra dans l'auberge.

— Je crains que non, répondit-il. Je nourris une superstition toute personnelle selon laquelle, tant que je ne verrai pas le cadavre de mon très cher frère étendu à mes pieds, je continuerai à ne boire que mon propre vin et à ne manger que la nourriture que je me suis procurée et que j'ai préparée moi-même. Je ferai de même céans, si vous n'y voyez pas d'inconvénient. Bien entendu, je vous paierai votre vin comme si je l'avais bu. Auriez-vous l'obligeance de mettre cette bouteille de ma réserve à chambrer près du feu ? Bien. Je suis accompagné d'un jeune homme qui s'occupe des chevaux, en ce moment. Il n'est pas soumis aux mêmes réserves que moi et je suis persuadé qu'une bonne chope de bière lui réchaufferait les os, si vous pouviez lui en faire porter une...

Tel un jouet monté sur ressort, la serveuse hocha la tête, lui fit une rapide révérence et retourna aux cuisines à petits pas pressés, comme une souris rentrant dans son trou.

— Alors, mon hôte, reprit Primus de sa voix de stentor, en se tournant vers l'aubergiste à barbe blanche, comment sont les chambres, dans ce havre perdu du bout du monde ? Les lits ont-ils des matelas de paille ? Y a-t-il du feu dans la cheminée ? Oh ! mais je vois, avec un plaisir grandissant, que vous avez un tub au chaud devant l'âtre – si vous avez l'eau bouillante pour le remplir, je prendrai un bain tout à l'heure. Mais je ne vous en donnerai pas plus d'une petite pièce d'argent, tenez-vous-le pour dit.

L'aubergiste lorgna vers sa femme.

— Nos lits sont confortables, répondit celle-ci. Et j'vais dire à la p'tite d'faire du feu dans votre chambre.

Primus ôta sa houppelande dégoulinante de pluie et la suspendit près du feu. Ce fut en remarquant la robe bleue de l'étoile qu'il se retourna et aperçut la jeune fille assise à la longue table.

— Une autre pensionnaire ? fit-il, en s'inclinant respectueusement. Heureux de vous rencontrer, Milady, par ce temps délétère. J'espère que...

Un fracas assourdissant l'interrompit. Le bruit provenait manifestement des écuries.

— Quelque chose a effrayé les chevaux, conclut Primus, en fronçant les sourcils.

— L'tonnerre, sans doute, suggéra la femme en rouge.

— Sans doute, répondit Primus.

Il avait déjà la tête ailleurs : quelque chose avait attiré son attention. Il se dirigea vers l'étoile et plongea les yeux dans les siens pendant un long moment.

— Vous... (Il sembla hésiter.) Vous avez la pierre de mon père. Vous détenez le Pouvoir de Stormhold.

La jeune fille le fusilla du regard.

— Eh bien, fit-elle, demandez-le-moi que je sois enfin débarrassée de cette charge ridicule.

La femme de l'aubergiste se précipita vers eux et s'immobilisa au bout de la table.

— Ah mais ! vous n'croyez tout d'même pas qu'je vais vous laisser ennuyer mes autres clients comme ça, mon cher petit monsieur ! intervint-elle d'un ton sévère.

Le regard de Primus s'arrêta alors sur les couteaux posés devant elle. Il les reconnut aussitôt : ils étaient représentés dans de vieux parchemins qui tombaient en poussière sous les voûtes du Fort de la Tempête. Leur nom y était consigné. Il s'agissait là d'objets fort anciens datant du Premier Âge du monde.

La porte de l'auberge s'ouvrit en coup de vent.

— Primus ! s'écria Tristan, en se ruant à l'intérieur. On a tenté de m'empoisonner !

Lord Primus porta immédiatement la main à son épée courte, mais, au même instant, la reine des sorcières s'empara de son long couteau et, d'un geste souple et sûr, lui trancha la gorge.

Pour Tristan, tout s'était passé trop vite. Il était entré, avait vu l'étoile, Lord Primus, l'aubergiste et son étrange famille, puis le sang avait giclé, fontaine écarlate dans l'éclat infernal des flammes.

— Attrapez-le ! ordonna la femme en robe rouge. Attrapez-moi cet avorton !

Billy et sa fille se précipitèrent vers Tristan. C'est à ce moment-là que la licorne fit son entrée dans l'auberge.

D'un bond, Tristan s'écarta de son chemin. La créature se cabra sur ses postérieurs. Un coup de sabot envoya la serveuse rouler à terre.

Billy baissa le front et fonça tête baissée sur la licorne, comme s'il entendait lui donner un coup de boutoir. Sans une seconde d'hésitation, la licorne en fit autant. Et c'est ainsi que Billy l'Aubergiste connut une fin tragique.

— Idiot ! hurla sa femme, ivre de rage, en se ruant sur la licorne, un couteau dans chaque main.

Le sang qui lui recouvrait la main droite jusqu'au coude lui faisait comme un long gant écarlate assorti à sa robe.

Tristan s'était jeté à terre et rampait maintenant à quatre pattes vers la cheminée. Dans sa main gauche, il tenait le petit morceau de cire qui lui restait de sa bougie, celle à laquelle il devait d'être parvenu jusqu'ici. Il l'avait malaxé entre ses doigts pour le ramollir jusqu'à rendre la cire parfaitement malléable.

— Ça a intérêt à marcher, monologua-t-il.

Il espérait que l'arbre savait de quoi il parlait.

Comme il arrachait un lacet de son pourpoint pour en envelopper l'extrémité d'un petit cylindre de cire, il entendit la licorne pousser un hennissement de douleur.

— Que se passe-t-il exactement ? lui demanda l'étoile qui rampait vers lui.

— Je ne sais pas vraiment, avoua Tristan.

Soudain, la sorcière hurla. La licorne lui avait embroché l'épaule sur sa corne et la soulevait triomphalement, s'apprêtant déjà à la jeter à terre pour la piétiner jusqu'à ce que mort s'ensuive. Mais, tout empalée qu'elle fût, la sorcière n'en parvint pas moins à se retourner et plongea la pointe de sa lame effilée dans l'œil de la licorne, la lui enfonçant dans le crâne jusqu'à la garde.

Sa belle robe blanche toute maculée de pourpre, la bête s'effondra sur le plancher. Elle tomba d'abord à genoux, puis bascula sur le flanc, sa langue pie pendant lamentablement entre ses lèvres ouvertes, tandis que la vie la quittait avec le sang qui s'écoulait de ses blessures.

La reine des sorcières s'arracha à l'éperon d'ivoire qui lui transperçait l'épaule et, une main crispée sur sa plaie et l'autre tenant son couperet, se releva, chancelante.

Son regard balaya la pièce, puis s'arrêta sur Tristan et l'étoile, blottis l'un contre l'autre, près de la cheminée. Alors, lentement, si lentement que c'en était torture, elle tituba vers eux, le couperet à la main et le sourire aux lèvres.

— Le cœur ardent d'une étoile sereine vaut tellement mieux que le cœur palpitant d'une petite étoile terrifiée, leur dit-elle, d'une voix étrangement calme et détachée, une voix d'autant plus étrange qu'elle sortait de la bouche d'une femme au visage ensanglanté. Mais le cœur d'une étoile tremblant d'effroi vaut beaucoup mieux encore que pas de cœur du tout.

Tristan prit soudain l'étoile par la main.

— Levez-vous, lui intima-t-il.

— Je ne peux pas.

— Levez-vous ou nous sommes morts, insista-t-il, en se redressant.

L'étoile hocha la tête et, s'appuyant de tout son poids sur lui, tenta de se remettre d'aplomb.

— « Levez-vous ou nous sommes morts » ? répéta la reine des sorcières. Oh ! mais, vous êtes déjà morts, mes enfants. Assis ou debout, pour moi c'est du pareil au même.

Elle fit un pas de plus vers eux.

— Et maintenant, reprit Tristan, agrippant, d'une main, le bras de l'étoile et, de l'autre, sa bougie de fortune. Maintenant, marchez !

C'est alors qu'il plongea la main dans les flammes.

La souffrance était telle qu'il en aurait hurlé. Quant à la reine des sorcières, elle le regardait comme si elle avait sous les yeux la folie incarnée.

Puis sa mèche de bout de chandelle s'alluma et se mit à brûler avec une persistante petite flamme bleue, et tout se mit à vaciller autour d'eux.

— Marchez, je vous en conjure, supplia Tristan. Et, surtout, ne me lâchez pas la main.

L'étoile avança maladroitement un pied.

Et c'est ainsi qu'ils laissèrent l'auberge derrière eux avec, en fond sonore, les hurlements de la reine des sorcières qui leur vrillaient les tympans.

Ils se retrouvèrent d'abord sous terre, la clarté de la bougie crevant les ténèbres de grottes humides ; puis, au pas suivant, dans un désert de sable blanc, au clair de lune ; puis, loin au-dessus du sol, là où, surplombant le monde, ils pouvaient regarder collines, bois et rivières défiler en dessous d'eux.

C'est alors que les dernières gouttes de cire coulèrent sur les doigts de Tristan, que, ne pouvant endurer plus longtemps l'insoutenable brûlure, il secoua la main et que, ce faisant, il éteignit l'ultime flamme qui les guidait, leur ôtant, par là même, la dernière chance de salut qui leur restait.

Chapitre
huit

*Où il est question de châteaux dans les airs,
entre autres choses.*

L'aube se levait sur les sommets. La tempête des jours
précédents était passée. Le ciel était dégagé ; l'air, vif et
pur.

Tirant derrière lui un petit poney de montagne à robe
brune, un homme de haute taille aux allures de corbeau
franchissait le col escarpé. Tout en marchant, Lord Septimus de Stormhold regardait autour de lui : il semblait avoir
perdu quelque chose. Il s'immobilisa brusquement à
l'entrée du défilé, comme s'il avait trouvé ce qu'il cherchait. Il y avait, au bord du sentier, une vieille carriole
renversée sur le flanc – guère plus qu'un misérable char-
reton à boucs. Non loin de là, gisaient deux cadavres. Le
premier était celui d'un bouc blanc. L'animal avait la tête
en sang. Septimus la poussa du bout du pied. Elle bascula,
révélant une blessure fatale en plein front, juste entre les
deux cornes. Près du bouc se trouvait le corps d'un jeune
homme, au visage aussi inexpressif dans la mort qu'il avait
dû l'être dans la vie. Hormis une meurtrissure plombée à
la tempe, aucune plaie ne permettait de savoir comment
il avait quitté celle-ci pour succomber à celle-là.

Quelques centaines de mètres plus loin, Septimus
découvrit, à demi cachée sous un rocher, face contre terre,
la dépouille d'un homme d'un certain âge, vêtu de noir.
Les mains de l'homme étaient livides. Il baignait dans une
mare de sang. Septimus s'accroupit près du corps et,
l'empoignant par les cheveux, leva délicatement la tête.
L'homme avait la gorge tranchée. La plaie était bien nette,
une longue estafilade qui courait d'une oreille à l'autre :

le fait d'une main experte. Troublé, Septimus examina le cadavre de plus près. Il connaissait cet homme, pourtant...

C'est alors qu'une sorte de toux sèche et saccadée brisa le silence des cimes : Septimus riait.

— Ta barbe ! s'exclama-t-il. Tu as coupé ta barbe ! Comme si je n'allais pas te reconnaître sans ta barbe ! Allons, Primus !

Ombre parmi les ombres, aussi gris et spectral que ses frères défunts auprès desquels il se tenait désormais, Primus lui répondit :

— Tu m'aurais peut-être reconnu, Septimus, mais cela t'aurait probablement pris quelques instants, quelques instants qui auraient pu me sauver la vie et te coûter la tienne...

Mais sa voix d'outre-tombe se perdit dans le souffle de la brise qui s'écorchait aux épineux.

Au moment où Septimus se redressait, le soleil apparut au-dessus du pic le plus oriental du mont Bedon, l'auréolant de lumière.

— Me voici donc appelé à devenir le quatre-vingt-deuxième Seigneur de Stormhold, dit-il au cadavre. Sans même parler des titres de Maître des Hautes Corniches, Sénéchal des Cités des Cimes, Gardien de la Citadelle, Protecteur Suprême du mont Huon et j'en passe...

— Il faudrait d'abord, pour cela, que tu aies le Pouvoir de Stormhold autour du cou, mon cher frère, rétorqua Quintus, d'un ton acerbe.

— Et puis, il y a cette affaire de vengeance, intervint à son tour Secundus, dont la voix se mêlait aux hurlements du vent soufflant dans la passe. Avant toute autre chose, tu dois venger ton frère. C'est la loi du sang.

Septimus secoua la tête, comme s'il les avait entendus, puis jeta au cadavre un regard excédé.

— N'aurais-tu donc pas pu attendre quelques jours de plus, Primus ? Je t'aurais tué de mes propres mains. J'avais déjà un plan tout prêt, un excellent plan. Quand j'ai découvert que tu n'étais plus à bord du *Cœur d'un Rêve*, il ne m'a pas fallu longtemps pour voler un canot et me lancer à ta poursuite. Et voici, à présent, que je dois te venger, sinistre carcasse ! Et tout ça pour laver dans le sang notre honneur bafoué, l'honneur des Stormhold !

— Et voilà, Septimus sera le quatre-vingt-deuxième Maître de Stormhold, conclut Tertius.

— Il existe un proverbe dont l'unique raison d'être consiste justement à mettre en garde l'imprudent qui voudrait vendre la peau de l'ours avant de l'avoir tué, lui fit aimablement remarquer Quintus.

Septimus s'éloigna pour aller uriner contre un rocher, puis revint se camper devant le cadavre de Primus.

— Si je t'avais tué moi-même, je pourrais te laisser pourrir ici, cracha-t-il, fielleux. Mais, comme quelqu'un d'autre m'a privé de ce plaisir, je vais être obligé de supporter ta funeste compagnie jusqu'à ce que je trouve un pic isolé où je pourrai enfin t'abandonner. Les aigles se chargeront de tes funérailles, mon très cher frère.

Sur ces bonnes paroles, il attrapa le corps ensanglanté par les bras et le hissa, en grognant, sur le dos du poney. Il en profita pour le fouiller, s'appropriant au passage l'aumônière qui pendait à sa ceinture.

— Merci du cadeau, mon frère, fit-il, en assénant au cadavre une grande claque dans le dos.

— Puisses-tu t'étouffer avec, si tu ne me venges pas de cette engeance qui m'a tranché le gosier, lui répondit Primus, par le truchement des oiseaux célébrant de leurs trilles la naissance du nouveau jour.

Ils étaient assis, côte à côte, sur le bord d'un épais cumulus de la taille d'une honnête bourgade provinciale. Certes moelleux, leur siège céleste n'en était pas moins froid et, plus on s'enfonçait à l'intérieur, plus la sensation de froid s'accentuait. Aussi Tristan avait-il plongé sa main brûlée aussi loin que possible dans cette spongieuse matière à l'apparence ouatinée. La texture en était légèrement élastique et glacée, réelle tout en étant immatérielle. Le nuage lui avait bien un peu résisté au début, mais il avait fini par accepter ce curieux corps étranger. En tout cas, il soulageait suffisamment sa douleur pour que Tristan pût enfin en détacher ses pensées.

— Eh bien, fit-il, après un long silence. Je peux être fier de moi ! J'ai fait ce qui s'appelle un beau gâchis.

Enroulée dans le peignoir d'éponge que la femme de l'auberge lui avait prêté, l'étoile regardait fixement sa jambe cassée qu'elle avait allongée sur l'épais tapis de brume déroulé à ses pieds.

— Vous m'avez sauvé la vie, lui répondit-elle finalement. N'est-ce pas ?

— On dirait bien, oui.

— Je vous déteste ! s'emporta-t-elle alors subitement, d'un ton plein de hargne. Je vous haïssais déjà pour tout ce qui m'était arrivé, mais, maintenant, je vous déteste plus que tout.

Tristan fléchit sa main brûlée dans la divine fraîcheur du nuage. Il se sentait nauséeux, harassé, dans un état quasi comateux.

— Une raison, en particulier ?

— Parce que, répondit-elle d'une voix tendue à se briser, selon nos lois, les lois qui régissent mon peuple, celui qui sauve la vie de son prochain en devient responsable et réciproquement. Vous êtes donc désormais responsable de moi et moi de vous. Autrement dit, où que vous alliez, je dois vous suivre.

— Oh ! Et c'est si terrible que ça ?

— Je préférerais encore passer ma vie enchaînée à un loup assoiffé de sang, ou à un cochon puant ou même à un gobelin des marais.

— Franchement, je ne suis tout de même pas si mauvais que ça. Pas quand on apprend à me connaître, je vous assure. Écoutez, je suis vraiment désolé à propos de cette lamentable histoire de chaîne, d'accord ? Je regrette de vous avoir attachée. Mais on pourrait peut-être essayer d'oublier ça et tout reprendre de zéro ? Tenez, voilà : je m'appelle Tristan Thorn, enchanté de vous connaître, fit-il, en lui tendant sa main valide.

— Ma Mère Lune, secourez-moi ! s'écria l'étoile. Je préférerais encore serrer la main d'un...

— Je n'en doute pas, l'interrompit Tristan, sans attendre de savoir de quelle comparaison, fort peu flatteuse gageait-il, il allait encore se voir gratifier. J'ai déjà dit que j'étais désolé. Prenons un nouveau départ. Accordez-moi une seconde chance.

Il lui tendit la main derechef.

— Je m'appelle Tristan Thorn. Ravi de vous connaître.

L'étoile soupira.

L'air s'était raréfié. Un froid polaire régnait à cette altitude. Fort heureusement, le soleil réchauffait agréablement l'atmosphère. Tristan regardait autour de lui et voyait dans la forme des nuages quelques constructions futuristes d'une cité fantastique ou autre mégapole d'une autre galaxie. Loin, très loin, en dessous, il apercevait le monde réel : dans la vive clarté du jour, chaque arbre minuscule se détachait avec une netteté stupéfiante et chaque rivière serpentait à travers le Pays des Fées comme une fine traînée d'escargot, ondulante et argentée.

— Alors ? insista-t-il.

— Soit, concéda l'étoile, tout en remuant négligemment la main à la surface du nuage pour faire des ronds dans la brume. Belle ironie du sort, tout de même, vous ne trouvez pas ? Là où va mon Seigneur, mes pas je dois porter. Même si cela me tue !

Suspendant son geste, elle prit la main qu'il lui tendait.

— Mes sœurs m'appelaient Yvaine.

— Non mais, regardez-moi ça ! railla Tristan. Nous faisons la paire : vous, avec votre jambe cassée, et moi, avec ma main brûlée !

— Montrez-la-moi.

Tristan retira sa main de la bienfaisante fraîcheur ouatée. Elle était toute rouge et commençait à se couvrir de cloques sur les côtés et sur le dos.

— Est-ce que cela vous fait mal ?

— Oui. Beaucoup même, pour tout vous avouer.

— Tant mieux !

— Si je ne m'étais pas brûlé la main, vous seriez probablement morte, à l'heure qu'il est...

Elle eut l'obligeance de baisser les yeux.

— Vous savez, j'ai laissé mon sac dans l'auberge de cette furie, reprit Tristan, pour changer de sujet. Et nous n'avons plus rien, à présent, à part les habits que nous portons : pas de nourriture, pas une goutte d'eau. Nous sommes perchés à quelque trois ou quatre mille pieds au-dessus du monde, sans aucun moyen de descendre et aucun contrôle sur notre destination, et nous sommes tous les deux blessés. Est-ce que j'ai oublié quelque chose ?

— Juste un petit détail : que les nuages se dissipent et s'évanouissent dans le néant sans crier gare. C'est vrai. Je les ai vus faire. Je ne survivrai pas à une seconde chute.

Tristan haussa les épaules.

— Eh bien, dans ce cas, nous sommes probablement perdus. Mais, autant en profiter pour admirer le panorama, puisque nous sommes là.

Il aida Yvaine à se lever et tous deux firent quelques pas laborieux sur le nuage.

— C'est inutile, capitula l'étoile, en se rasseyant. Allez-y, vous. Je vous attendrai ici.

— Promis ? Vous n'allez pas me fausser compagnie, cette fois ?

— Je le jure. Sur la tête de ma mère la Lune, je le jure, répondit tristement l'étoile. Vous m'avez sauvé la vie...

Faute de mieux...

Elle avait les cheveux tout gris, maintenant, et le visage bouffi, et des poches sous les yeux, et des rides dans le cou, et de profonds sillons de part et d'autre de la bouche. N'eût été le rouge écarlate de sa robe, on aurait pu la prendre pour un spectre tant elle était livide. Une déchirure lui dénudait l'épaule laissant entrevoir, obscène et toute fripée, une profonde cicatrice. Le noir carrosse qu'elle conduisait à travers les landes désolées luttait contre le vent et les rafales lui rabattaient les cheveux dans les yeux, la giflant sans vergogne. Les flancs écumant de sueur, la bouche sanguinolente, les quatre étalons noirs bronchaient de plus en plus souvent. Leurs sabots martelaient pourtant vaillamment le sentier boueux à travers l'étendue stérile des Désolandes, les bien nommées.

La reine des sorcières – qui était aussi la plus vieille des Lilim – arrêta son attelage à côté d'un éperon rocheux vert-de-gris qui jaillissait du sol marécageux telle une aiguille. Puis, lentement, très lentement (il ne faut tout de même pas trop en demander à une dame qui n'est plus de première – ni même de seconde – jeunesse), elle descendit de la banquette du cocher et mit pied à terre.

Elle se dirigea ensuite vers la portière de gauche. Quand elle l'ouvrit, la tête de la licorne s'effondra au-dehors, pendant dans le vide avec sa dague toujours fichée dans l'œil. La sorcière voulut lui ouvrir la bouche, mais la rigidité cadavérique avait déjà fait son œuvre et les mâchoires résistaient. Elle grimpa péniblement dans le carrosse, puis se mordit la langue avec force, si fort que la douleur s'enfonçait dans sa chair comme une lame. Elle mordit jusqu'à ce qu'elle ait un goût salé et légèrement métallique dans la bouche. Elle mélangea alors sang et salive (Malédiction ! elle avait déjà plusieurs dents de devant qui commençaient à se déchausser !), puis elle cracha sur la langue pie de la licorne, s'éclaboussant les lèvres et le menton de sang. Elle grommela quelques syllabes que nous ne rapporterons pas ici, puis referma la bouche de la licorne.

— Descends de là, ordonna-t-elle au cadavre.

La licorne redressa la tête avec raideur. Ses jambes remuèrent, puis, tel un jeune poulain ou un faon qui apprend à marcher, elle eut un spasme convulsif, prit maladroitement appui sur ses pattes et, moitié descendant moitié tombant, s'affala hors du carrosse pour se rétablir dans la boue. Son flanc gauche, celui sur lequel elle avait été couchée dans le carrosse, était tout gonflé et noir à cause du sang et des humeurs accumulés. Handicapée par son œil crevé, elle tituba en direction de l'aiguille minérale jusqu'à une petite dépression qui faisait comme un bassin à sa base. Là, elle tomba à genoux sur ses antérieurs dans une macabre parodie de prière.

La reine des sorcières se pencha pour retirer son couteau planté dans l'orbite de la bête, puis l'égorgea. Le sang se mit aussitôt à sourdre de la blessure. Lentement, beaucoup trop lentement à son gré. Elle retourna alors vers le carrosse et en revint, tenant son couperet à la main. Elle entreprit ensuite de taillader le cou de la licorne, jusqu'à séparer la tête du corps. La tête tranchée tomba dans le petit bassin de pierre, bientôt rempli d'un sang épais, gluant et presque noir.

Elle prit alors la tête de la licorne par la corne et la posa à côté du corps, contre le rocher, puis se pencha de nouveau pour plonger les yeux dans la mare de sang. Deux visages lui rendirent son regard : les visages de deux femmes, bien plus vieilles qu'elle ne l'était à présent.

— Où elle est ? maugréa la première. Qu'est-ce que tu en as fait ?

— Non mais, regardez-la ! s'écria la deuxième des Lilim. Tu as pris tout ce qui nous restait de la jeunesse qu'on avait réussi à sauvegarder. C'est même moi qui l'avais extirpée de la poitrine de l'étoile de mes propres mains. Il y a longtemps, si longtemps déjà... Et pourtant ! il fallait voir comme elle hurlait et se débattait. Elle gigotait dans tous les sens. À voir ta tête, tu l'as déjà presque entièrement gaspillée.

— J'étais si près ! se défendit la sorcière. Las ! elle était protégée par une licorne. Mais j'ai réussi à avoir la tête de cette maudite carne et je vais la rapporter chez nous. Ça fait bien longtemps que nous n'avons pas usé de corne de licorne fraîchement moulue dans nos sortilèges.

— Je t'en ficherais de la corne de licorne ! explosa sa plus jeune sœur. Et l'étoile ?

— Je n'arrive pas à la retrouver. À croire qu'elle n'est plus en Faërie. Un long silence s'ensuivit.

— Si, répondit finalement une de ses sœurs. Elle est encore en Faërie. Mais elle se rend à la foire de Wall. C'est trop près du monde d'au-delà du mur pour nous. Et, une fois qu'elle sera passée de l'autre côté, on pourra faire une croix dessus.

Car chacune d'elles savait que, si l'étoile franchissait le mur et entrait dans le monde où les choses ne sont que ce qu'elles sont, elle serait immédiatement changée en un bout de métal granuleux, tombé du ciel par une belle nuit d'octobre, autant dire qu'elle ne serait plus qu'une petite chose froide et morte, et ne leur serait donc plus d'aucune utilité.

— Dans ce cas, je vais aller l'attendre dans la Passe de Pat Lepelleteur. Tous ceux qui vont à Wall sont obligés de la traverser.

Les deux vieilles lui jetèrent un regard réprobateur. La reine des sorcières se passa la langue sur les dents (à voir comment elle bougeait, celle du haut ne passerait pas la nuit), puis cracha dans la mare de sang. La surface se rida et les Lilim disparurent. La flaque rouge ne reflétait plus que le ciel et les petits nuages blancs qui défilaient, tout là-haut, au-dessus des Désolandes.

Elle donna un coup de pied au cadavre décapité, qui s'écroula sur le flanc, et prit la tête de la licorne pour la porter jusqu'au siège du cocher. Elle la plaça à côté d'elle sur la banquette, s'assit, puis empoigna fermement les rênes et fouetta les chevaux. Quoique rétifs, les quatre étalons noirs partirent au petit trot sur-le-champ.

Assis au sommet de la colonne de nuages, Tristan se demandait pourquoi, dans tous les romans à deux sous qu'il avait dévorés avec tant d'avidité, le héros n'avait jamais faim. Ses crampes d'estomac et sa main brûlée le mettaient au supplice.

Les aventures, c'est très bien... vu de loin, songeait-il, *mais, à y regarder de plus près, il y aurait beaucoup à redire. Sur la régularité des repas, notamment. Et sur la douleur, invariablement imposée au menu : on devrait pouvoir choisir à la carte...*

Mais, malgré tout, il était encore en vie et, les cheveux au vent, il filait à travers le ciel sur un nuage, comme un marin à la proue d'un galion toutes voiles dehors. Il éprouvait une telle palpitation, une telle vibration, à regarder ainsi le monde du haut des cieux ! D'aussi loin qu'il s'en souvienne, jamais il ne s'était senti aussi vivant ! Le ciel possédait une « célesté » et le monde, une « immédiateté » qu'il n'avait jamais perçues, ni même imaginées auparavant.

Il comprit qu'en un sens, survoler le monde, c'était aussi prendre du recul vis-à-vis de ses problèmes. Même sa brûlure lui paraissait à des lieues et des lieues de distance. Tant et si bien qu'il en oubliait de souffrir. Il songeait à tout ce qu'il avait fait, à toutes ses aventures, et aussi au chemin qu'il lui restait à parcourir. Comme tout cela lui semblait insignifiant, soudain ! D'une simplicité enfantine ! Il se leva et, du haut de son piédestal, se mit à crier à pleins poumons « Ohéééé ! Ohéééé ! ». Quoique parfaitement conscient du ridicule de la situation, il n'hésita pas à enlever sa tunique pour l'agiter au-dessus de sa tête. Puis, il dévala la pente cotonneuse, trébucha à dix pieds du but et s'étala de tout son long sur le matelas de brume.

— Pourquoi hurliez-vous donc comme cela ? lui demanda Yvaine.

— Pour signaler notre présence, dire aux gens que nous sommes là.

— Aux gens ? Quels gens ?

— On ne sait jamais. Mieux vaut appeler des gens qui ne sont pas là, plutôt que rater des gens qui sont vraiment là, faute de les avoir appelés à temps.

L'étoile préféra ne pas répondre.

— J'ai réfléchi, reprit Tristan. Et voici ce à quoi j'ai pensé : une fois que nous nous serons occupés de moi

– de remplir mes engagements, je veux dire : que nous vous aurons ramenée à Wall et donnée à Victoria Forester –, on pourrait peut-être s'occuper de vous.

— De moi ?

— Eh bien, vous voulez retourner d'où vous venez, non ? Là-haut, dans le ciel. Pour briller dans la nuit, comme avant. On pourrait déjà régler ce problème.

Elle leva les yeux vers lui, le regarda en silence, puis secoua la tête.

— Ces choses-là n'arrivent jamais, lui expliqua-t-elle. Les étoiles tombent, mais elles ne remontent pas au ciel.

— Eh bien, vous seriez la première. Il suffit d'y croire. Sinon, il y a peu de chance pour que ça arrive, évidemment.

— Mais cela n'arrivera pas. Pas plus que vos cris ne vont attirer quelqu'un ici, alors qu'il n'y a personne. Que j'y croie ou non n'y changera rien. C'est juste que les choses se passent comme cela et pas autrement. Comment va votre main ?

Il haussa les épaules.

— Mal. Comment va votre jambe ?

— Mal. Mais moins mal qu'avant.

— Ohé ! fit une voix, loin au-dessus d'eux. Ohé là-dessous ! Besoin d'aide ?

Scintillant dans le soleil comme une pépite d'or, un petit navire aux voiles gonflées par le vent apparut. Un visage rubicond pourvu de glorieuses bacchantes les regardait par-dessus le bastingage.

— C'était toi, moussaillon, qui sautais partout comme un chien fou, tout à l'heure ?

— C'était moi, répondit Tristan. Et je crois que nous avons bien besoin d'aide, en effet.

— D'acc'o'd'acc ! fit l'homme. Préparez-vous à attraper l'échelle.

— Mon amie a une jambe cassée et je me suis blessé à la main : j'ai bien peur qu'aucun de nous ne puisse monter à une échelle.

— Pas de problème. Nous vous hisserons.

Et sur ces bonnes paroles, l'homme déroula une longue échelle de corde par-dessus bord. Tristan l'attrapa avec sa main valide et l'immobilisa pour qu'Yvaine puisse s'y agripper, puis il grimpa derrière elle. Au-dessus d'eux, le visage avait disparu et ils commençaient à se balancer dangereusement.

Le vent s'engouffra dans les voiles et, sous la propulsion du navire, l'échelle s'écarta du nuage. Tristan et Yvaine se mirent alors à tournoyer lentement dans les airs, au-dessus du vide.

— Allez ! Ho hisse ! crièrent plusieurs voix à l'unisson. Tristan se sentit monter de quelques pieds.

— Ho hisse ! Ho hisse ! Ho hisse !

Chaque cri leur annonçait une ascension prochaine. Le nuage sur lequel ils s'étaient reposés n'était même plus au-dessous d'eux. À sa place, s'ouvrait un précipice de quelque quatre mille pieds. Tristan resserra sa prise sur la corde, l'enfermant fermement au creux de son coude, du côté de sa main brûlée.

Une nouvelle secousse et Yvaine arriva au niveau du bastingage. On la souleva pour la déposer avec précaution sur le pont. Tristan enjamba le bord tout seul et s'affala à ses pieds.

L'homme aux glorieuses bacchantes lui tendit la main.

— Bienvenue à bord du bateau pirate *Perdita* en route pour une expédition de chasse aux éclairs. Capitaine Johannes Alberic, à votre service.

Il toussa – une toux caverneuse qui lui montait du fond de la poitrine – et, tout à coup, avant que Tristan n'ait eu le temps de répondre, s'écria, en voyant sa main :

— Meggot ! Meggot ! Tonnerre de tonnerre ! Mais où es-tu encore passée ? Par ici ! Des passagers à soigner ! Là, là, mon gars, Meggot va s'occuper de ta main. Nous mangeons à six coups piqués. Vous dînerez à ma table.

La démarche brusque et la mine bougonne, une femme à la tignasse poil-de-carotte explosive s'avança. Elle prit Tristan par le bras et, d'autorité, l'emmena en cabine pour lui tartiner la main d'un onguent verdâtre. La pommade eut un effet rafraîchissant qui apaisa la douleur sur-le-champ. Tristan fut ensuite conduit au mess, une petite salle à manger contiguë à la cuisine (que, pour son plus grand plaisir, on appelait ici la « coquerie », exactement comme dans les histoires de pirates qu'il avait lues).

Tristan mangea effectivement à la table du capitaine – il ne voyait d'ailleurs pas comment il aurait pu faire autrement, vu qu'il n'y en avait qu'une, réunissant les neuf convives autour d'elle. Sans compter Meggot et le capitaine, il y avait donc là cinq hommes d'équipage – qui n'avaient d'hommes que le nom. Drôle de compagnie, en vérité ! et pour le moins hétéroclite. Tous semblaient contents de laisser le capitaine Alberic faire les frais de la conversation ; ce dont il s'acquittait avec brio, sa pinte de bière dans la main gauche, sa pipe dans la main droite – quand cette dernière n'était pas réquisitionnée pour acheminer quelques honnêtes bouchées de nourriture entre ses volumineuses bacchantes.

La chère, à bord du *Perdita* était simple, mais l'épais brouet de légumes, de haricots et d'orge rassasia Tristan et jamais il n'avait goûté d'eau plus fraîche, plus limpide et plus pure que celle qu'on lui servit, ce soir-là.

Le capitaine ne leur posa aucune question, pas même pour savoir comment ils s'étaient retrouvés perchés sur un nuage, au beau milieu du ciel – et ils ne se proposèrent pas de lui en fournir l'explication. On assigna à Tristan une cabine avec Bizzar, le second, un brave homme sans histoires – mais avec de grandes ailes et un affreux bégaiement – , tandis qu'Yvaine se voyait offrir la cabine de Meggot qui déménagea pour s'installer dans un hamac.

Par la suite, Tristan ne se remémorerait jamais sans quelque nostalgie sa croisière à bord du *Perdita*, souvenir qu'il chérirait comme l'un des moments les plus heureux de sa vie. Les matelots le laissaient participer aux manœuvres et abandonnaient même la barre pour un quart, de temps en temps. Parfois, le navire croisait au-dessus d'impressionnants nuages d'orage, gros comme des montagnes, et tout l'équipage se consacrait alors à la pêche aux éclairs avec une petite boîte en cuivre. Rafales et averses balayaient le pont et, le visage noyé de pluie et la main agrippée au bastingage pour ne pas passer par-dessus bord dans la tempête, exalté et ravi, Tristan se prenait souvent à rire de bonheur.

Bien que légèrement plus grande et plus mince qu'Yvaine, Meggot lui avait prêté plusieurs robes que l'étoile portait avec une joie manifeste, prenant plaisir à en changer tous les jours. En dépit de sa jambe cassée, il lui arrivait souvent de grimper sur la figure de proue et de s'y asseoir un moment pour regarder le monde défiler en contrebas.

— Comment va la main ? demanda le capitaine.

— Beaucoup mieux, merci, répondit Tristan, qui, assis sur le plat-bord, contemplait l'immensité du ciel en balançant les jambes dans le vide.

Sa peau avait pris la couleur rosâtre et l'aspect vernissé des plaies qui viennent de se refermer et il sentait à peine ses doigts, mais l'onguent de Meggot avait fait pratiquement disparaître la douleur et notablement accéléré le processus de cicatrisation.

— Nous jetterons l'ancre dans une semaine pour nous ravitailler et prendre un peu de fret, annonça le capitaine. Ce serait peut-être aussi bien si nous vous débarquions là-bas en même temps.

— Oh merci, acquiesça aussitôt Tristan.

— Ça vous rapprochera de Wall. Faudra encore compter dix bonnes semaines de marche tout de même, hein. Peut-être plus. Mais Meggot dit que la jambe de ton amie est pratiquement parée à tenir le cap. Elle pourra bientôt s'appuyer dessus sans problème.

Ils étaient assis côte à côte. Les vêtements couverts d'une fine couche de cendres, le capitaine fumait la pipe – quand il ne tirait pas dessus, il en mordillait le tuyau, en ramonait la cheminée avec une sorte de bâtonnet de métal pointu ou y enfournait une nouvelle pincée de tabac.

— Tu sais, enchaîna le capitaine, le regard sur la ligne d'horizon, ce n'était pas tout à fait un hasard si nous vous avons trouvés. Enfin, c'est vraiment par hasard, mais il ne serait pas faux non plus de dire que j'ouvrais l'œil, au cas où. Et je n'étais pas le seul à la manœuvre.

— Comment ça ? Où aviez-vous entendu parler de moi ?

Pour toute réponse, le capitaine dessina quelque chose avec son doigt dans la condensation qui recouvrait le bois vernis.

— On dirait un château, dit Tristan.

Le capitaine lui fit un clin d'œil.

— Voilà un mot qu'il vaut mieux ne pas prononcer tout haut, murmura-t-il, même à cette altitude. Considère ça comme une sorte de confrérie...

Tristan le dévisagea en silence.

— Connaîtriez-vous un petit homme velu avec un grand chapeau mou et un énorme sac ? lui demanda-t-il finalement.

Le capitaine tapota sa pipe contre le bord du navire. Un geste vif de sa main et le château avait déjà disparu.

— Dame ! Et ce n'est pas le seul membre de la confrérie qui suit de près ton retour à Wall. Ce qui me rappelle... Tu devrais dire à la jeune demoiselle que, si elle prétend passer pour ce qu'elle n'est pas, elle ferait mieux d'essayer de donner le change : de faire mine de manger quelque chose, de temps en temps, par exemple. N'importe quoi, mais quelque chose.

— Mais, je n'ai jamais parlé de Wall devant vous. Quand vous m'avez demandé d'où je venais, je vous ai dit « de derrière nous » et, quand vous m'avez demandé où j'allais, je vous ai répondu « devant nous ».

— C'est bien ça, mon garçon, répondit le capitaine, la mine réjouie. Mot pour mot.

Une autre semaine commença. Au matin du cinquième jour, Meggot décréta qu'il était temps de débarrasser Yvaine de son attelle. Elle lui ôta ses bandages et son éclisse de fortune et Yvaine commença à s'entraîner à marcher sur le pont, de la proue à la poupe, en se tenant au garde-corps. Quoique boitant toujours légèrement, elle ne tarda pas à pouvoir se déplacer toute seule sans difficulté.

Le sixième jour, il y eut une grosse tempête et ils prirent six beaux éclairs dans leur coffre de cuivre. Le septième jour, ils entraient au port. Tristan et Yvaine firent leurs adieux au capitaine et à l'équipage du bateau pirate *Perdita*. Tristan reçut de Meggot un petit pot d'onguent vert pour soigner sa main et la jambe de sa compagne. Le capitaine lui donna une besace de cuir remplie de viande séchée, de fruits et de tabac, un couteau et un briquet à mèche d'amadou *(Oh ! Ça ne me prive pas, moussaillon. On va se ravitailler, ici, de toute façon)*, tandis que Meggot offrait à Yvaine une robe de soie bleue, brodée de minuscules étoiles et de lunes d'argent *(Parce qu'elle te va beaucoup mieux qu'à moi, ma jolie)*.

Le navire s'amarra à côté d'une douzaine d'autres semblables, au faîte d'un arbre gigantesque, assez gros pour supporter les centaines de logis creusés dans son tronc. Il était peuplé d'humains et de nains, de gnomes et de sylphes, et d'autres créatures bien plus étranges encore. Une volée de marches s'enroulait autour du large tronc. Tristan et l'étoile les descendirent à pas lents. Tristan éprouvait un certain soulagement à retrouver le contact avec quelque chose de stable et d'enraciné dans le sol et, pourtant, d'une certaine façon – qu'il aurait été bien en peine d'expliquer –, se mêlait à cette impression de sécurité une sorte de déception, comme si, en posant de nouveau le pied sur la terre ferme, il perdait quelque chose de très précieux.

Ils durent marcher trois jours entiers avant que l'arbre portuaire ne disparaisse derrière l'horizon.

Ils suivaient une route poussiéreuse et dormaient à l'abri des haies vives, veillant toujours à maintenir le cap à l'ouest. Tristan se nourrissait de baies et de fruits secs et se désaltérait aux ruisseaux. C'était apparemment un itinéraire fort peu fréquenté : ils ne croisèrent presque personne. Quand l'occasion s'en présentait, ils faisaient halte dans de petites fermes où Tristan échangeait un après-midi de labeur contre un peu de nourriture et un lit de paille fraîche pour la nuit. Quelquefois, ils s'arrêtaient dans les villages ou les bourgades qui se présentaient au détour du chemin pour se laver, se restaurer – ou, dans le cas de l'étoile, feindre de manger – et dormaient à l'auberge locale, lorsqu'ils pouvaient se le permettre.

Dans la cité de Simcock-Sous-La-Colline, ils tombèrent nez à nez avec un gang de gobelins. Sans la présence d'esprit et la langue acérée d'Yvaine, l'aventure aurait pu mal tourner : Tristan se voyait déjà condamné à passer le restant de ses jours à se battre dans l'armée des gobelins, à six pieds sous terre. Dans la forêt de Berinhed, Tristan parvint à dissuader un de ces gigantesques rapaces qui n'ont peur de rien, sauf du feu – plus connus sous le nom éloquent d'aigles ravisseurs –, de les emporter tous les deux dans son nid pour nourrir ses petits.

Dans une taverne de Fulkestone, Tristan se tailla un franc succès en récitant de mémoire le *Kubla Khan* de Coleridge, le vingt-troisième psaume de David, le discours sur « La vertu de clémence » du *Marchand de Venise* et un poème sur un petit garçon qui se tenait sur le pont en feu d'un navire que tous avaient déserté sauf lui : autant de morceaux d'anthologie qu'il avait été obligé d'apprendre par cœur à l'école, dans ses jeunes années. En son for intérieur, il rendait grâce à Mrs. Cherry d'avoir tant fait pour lui enseigner la poésie, jusqu'à ce qu'il comprît, soudain, que les braves gens de Fulkestone s'étaient mis en tête de faire de lui leur nouveau barde municipal *ad vitam aeternam*. Contraint de filer à l'anglaise au beau milieu de la nuit, il ne parvint à s'enfuir que parce qu'Yvaine réussit (par quelque mystérieux moyen sur lequel il ne chercha pas à s'appesantir) à convaincre les chiens de la ville de ne pas aboyer sur leur passage.

Avec le soleil, Tristan prenait un beau hâle cuivré et ses vêtements, des teintes passées, couleur de rouille et de poussière. Yvaine demeurait, quant à elle, d'une pâleur lunaire et, en dépit des lieues parcourues, boitait avec la même constance.

Un soir, alors qu'ils avaient dressé le camp en lisière d'une profonde forêt, Tristan entendit quelque chose qu'il n'avait jamais entendu auparavant : une ensorcelante mélodie aux accents étranges et mystérieux. Dès les premières notes, d'insolites visions déferlèrent dans son esprit et son cœur s'emplit d'extase et de joie. Il se prit soudain à imaginer des espaces sans limites, de gigantesques sphères cristallines tournant sur elles-mêmes, avec une infinie lenteur, à travers les immenses étendues du cosmos. La mélodie le transportait, le faisait sortir de lui-même, l'emportait au-delà.

Au bout de ce qui aurait tout aussi bien pu être de longues heures que de brèves minutes, la musique cessa et Tristan soupira.

— C'était merveilleux, souffla-t-il.

L'étoile ne put réprimer un sourire.

— Merci, répondit-elle, les yeux brillants. Sans doute l'envie de chanter m'avait-elle abandonnée jusqu'à présent.

— Je n'ai jamais rien entendu d'aussi beau.

— Certaines nuits, mes sœurs et moi chantions en chœur. Des chansons comme celle-ci, sur notre mère la Lune, sur le temps qui passe, sur le bonheur de briller et sur les joies de la solitude céleste.

— Je suis désolé.

— Et pourquoi donc ? Après tout, je suis encore en vie. J'ai eu de la chance de tomber en Faërie. Et j'ai probablement eu de la chance de vous rencontrer aussi.

— Merci.

— Je vous en prie.

Elle poussa, à son tour, un profond soupir, puis se mit à regarder le ciel à travers l'enchevêtrement des ramures.

Tristan s'était mis en quête d'un petit déjeuner acceptable. Il venait de dénicher quelques jeunes vesses-de-loup et un prunier chargé de fruits si mûrs et si desséchés qu'à le voir on eût dit des pruneaux, quand il aperçut l'oiseau dans les broussailles.

Loin d'essayer de l'attraper (il ne s'était toujours pas remis du choc qu'il avait subi, quelques semaines plus tôt, quand, ayant de justesse manqué un beau lièvre qu'il imaginait déjà en civet pour son dîner, celui-ci s'était figé à l'orée de la forêt, puis s'était retourné pour le toiser avec dédain et lui avait lancé : « Eh bien, vous êtes fier de vous, je présume ? » avant de détaler à travers les hautes herbes), il demeura immobile à le regarder, fasciné. L'animal n'avait certes rien de banal : il ressemblait un peu à un faisan – du moins, il en avait la taille –, à ceci près qu'il arborait un plumage offrant une assez jolie palette de rouges, de jaunes et de bleus dans toutes leurs nuances les plus éclatantes. On aurait dit quelque réfugié des tropiques arrivé là par erreur : quoi de plus incongru qu'un volatile aussi exotique dans ce bois de fougères d'un vert tout britannique ? L'oiseau sursauta à son approche et se mit à sautiller maladroitement en poussant des cris de détresse stridents.

Tristan s'agenouilla à côté de lui, en le cajolant à voix basse, puis se pencha pour l'examiner de plus près. Ce fut à ce moment-là qu'il comprit le fond du problème : la fine chaîne d'argent qui emprisonnait la patte droite du volatile s'était entortillée autour d'une racine dénudée, lui interdisant le moindre mouvement. Pris au piège, le malheureux ne pouvait plus bouger.

D'une main, Tristan démêla délicatement la chaîne, tout en caressant, de l'autre, le petit prisonnier tout ébouriffé de frayeur.

— Te voilà libre, lui dit-il. Tu peux rentrer chez toi.

Contre toute attente, l'oiseau ne s'envola pas, mais, penchant la tête sur le côté, se mit à le dévisager avec insistance.

— Écoute, lui dit Tristan, que ce regard scrutateur mettait quelque peu mal à l'aise. Quelqu'un doit probablement se faire du souci pour toi.

Il avançait déjà la main pour l'inciter à partir quand il ressentit, tout à coup, un heurt d'une violence inouïe : bien qu'il n'ait pas bougé, il avait l'impression d'avoir percuté un mur invisible de plein fouet. Il chancela, assommé, et se retint in extremis à une branche pour ne pas tomber.

— Au voleur ! hurla une vieille voix éraillée. J'vais t'changer les os en glace et t'rôtir tout cru ! J'vais t'faire sauter les yeux des orbites et en attacher un à un hareng et l'autre à un goéland pour qu'les spectacles confondus du ciel et d'la mer t'rendent fou à lier ! J'vais t'changer la langue en un long ver frétillant et les doigts, en lames de rasoir bien affûtées et j'te couvrirai d'cafards de feu qui t'dévoreront le corps d'horribles démangeaisons et, à chaque fois que tu t'gratteras...

— Inutile de vous étendre sur le sujet, je me fais déjà une assez bonne idée de la scène en question, l'interrompit Tristan. Je ne volais pas cet oiseau. Sa chaîne était prise dans une racine et je venais juste de le délivrer.

La vieille femme darda sur lui un regard suspicieux sous le couvert de son épaisse tignasse grise, puis se précipita vers l'oiseau pour s'en emparer prestement. Elle le souleva sur son doigt et lui chuchota quelque chose à l'oreille. Le volatile lui répondit d'un gracieux pépiement musical. La vieille femme plissa les yeux.

— Bon, p't-être qu'tu m'as pas raconté qu'des menteries, après tout, convint-elle, avec une flagrante mauvaise grâce.

— Je ne vous ai pas menti du tout ! s'insurgea Tristan.

Mais la vieille et son oiseau avaient déjà quitté la clairière. Dépité, il ramassa prunes et vesses-de-loup et s'en fut rejoindre Yvaine.

L'étoile était assise au bord du chemin et se massait les mollets. Sa hanche et sa jambe la faisaient souffrir et elle avait de plus en plus mal aux pieds. La nuit, Tristan l'entendait parfois pleurer doucement. Il priait pour que la Lune leur envoie une deuxième licorne, tout en sachant pertinemment qu'elle n'en ferait rien.

— Eh bien, s'exclama-t-il, en arrivant. En voilà une drôle de mésaventure !

Et il lui raconta, par le menu, l'étrange histoire qui lui était arrivée, pensant bien ne plus jamais en entendre parler.

Il se trompait, bien entendu. Quelques heures plus tard, Tristan et l'étoile marchaient le long du sentier forestier, quand une roulotte bariolée tirée par deux mules grises les dépassa. Sur la banquette avant, tenant les rênes, était assise une vieille femme, celle-là même qui avait menacé Tristan de le rôtir tout cru. Elle arrêta son attelage et, d'un doigt crochu, lui fit signe d'approcher.

— Viens par ici, mon garçon, lui dit-elle.

La mine circonspecte et le pas prudent, Tristan s'exécuta.

— Oui, m'dame ?

— Comme qui dirait que j'te dois des excuses, admit la vieille. Comme qui dirait qu'tu disais la vérité. J'ai p't-être été un peu vite en besogne.

— Oui, fit Tristan, laconique.

— Laisse-moi t'regarder.

Elle descendit de la roulotte, puis, l'obligeant d'un doigt glacé à relever le menton, plongea le regard sans âge de ses prunelles vertes dans les yeux noisette qui l'observaient avec anxiété.

— Tu m'as l'air d'un honnête garçon, conclut-elle. Tu peux m'app'ler Madame Semele. J'vais à Wall, pour la foire. Je m'disais justement que j'cracherais pas sur un gentil p'tit gars qui f'rait tourner mon affaire – j'vends des fleurs de verre, de jolis bib'lots qu't'en as jamais vu d'pareils, j'suis sûre. Tu f'rais un bon forain et on pourrait t'mettre un gant sur cette vilaine main pour pas faire fuir l'chaland. Qu'est-ce t'en dis ?

Tristan réfléchit.

— Un instant, s'excusa-t-il, après quelques secondes d'hésitation.

Il se dirigea vers Yvaine pour en discuter avec elle.

— Bonjour, dit l'étoile, quand ils revinrent tous les deux vers la vieille. Nous avons parlé de votre proposition et nous pensons que...

— Alors ? s'impatienta Madame Semele, les yeux rivés sur Tristan. Reste donc pas planté là comme un idiot. Parle ! Parle ! Mais parle donc !

— Je ne tiens pas à travailler pour vous à la foire, lui répondit Tristan. Car j'ai mes propres affaires à régler là-bas. Cependant, si nous pouvions faire route avec vous, ma compagne et moi sommes prêts à vous payer le prix du voyage.

Madame Semele secoua la tête.

— Ça m'servirait à quoi ? J'peux ramasser mon bois toute seule et tu s'rais qu'un poids d'plus à porter pour Sanfoi et Niloi. M'intéresse pas. Je n'prends pas d'passagers.

Et elle remonta sur sa banquette.

— Mais, insista Tristan, je vous paierais.

La mégère eut un petit ricanement méprisant.

— Tout c'que tu possèdes y suffirait pas. Puisque tu n'veux pas travailler pour moi, va voir ailleurs et ôte-toi d'mon ch'min.

Tristan porta la main à la boutonnière de son pourpoint. Elle était là, dans toute sa perfection glacée, telle qu'elle avait toujours été, intacte, en dépit de toutes les tribulations qu'elle avait traversées à ses côtés. Il la détacha et, la tenant entre le pouce et l'index, la présenta à la vieille.

— Vous vendez des fleurs de verre, dites-vous. Dans ce cas, peut-être serez-vous intéressée par celle-ci ?

C'était un perce-neige de cristal, si habilement filé qu'on l'aurait dit cueilli le matin même et encore tout nimbé de rosée. La vieille loucha dessus un instant, détaillant les feuilles vertes et les petits pétales blancs, puis elle poussa soudain un hurlement : on aurait dit le cri désespéré de quelque oiseau de proie auquel on vient d'arracher sa couvée.

— Où t'as eu ça ? piailla-t-elle. Donne-le-moi ! Donne-le-moi immédiatement !

Tristan escamota l'objet sur-le-champ et recula.

— Ah mais, fit-il d'une voix forte, sur le point de la perdre, je me rends compte, à présent, combien je tiens à cette fleur. C'est un cadeau de mon père. Il me l'a offerte avant que je n'entreprenne ce périple et j'avoue qu'elle a pour moi une très grande valeur sentimentale. Elle m'a sûrement porté chance, d'une façon ou d'une autre, et je ferais sans doute mieux de la garder, quitte à me rendre à Wall à pied.

Madame Semele semblait écartelée entre son envie de lui tordre le cou et la nécessité de l'attendrir. Ces sentiments contradictoires se peignaient si crûment sur son visage et se succédaient avec une telle rapidité qu'elle en tremblait. Elle parvint pourtant à se reprendre.

— Allons, allons, fit-elle d'une voix tendue à se briser tant elle avait peine à se contrôler. Faut pas s'emballer comme ça. J'suis sûre qu'on peut s'entendre, nous deux.

— Oh, j'en doute, répondit Tristan. Il faudrait me proposer un marché vraiment très intéressant pour me convaincre, un marché assorti de certaines garanties, et me donner, de surcroît, des gages suffisants de votre bonne conduite pour m'assurer qu'en toutes circonstances vous vous comporterez avec bienveillance envers ma compagne et moi, jusqu'à ce que nous arrivions à bon port.

— Fais-moi-le voir encore une fois, le supplia la vieille.

C'est alors que l'oiseau multicolore s'envola par la porte de la roulotte et se mit à voleter au-dessus d'eux, sans les quitter une seconde des yeux, comme s'il voulait assister au déroulement de la transaction.

— Le pauvre, soupira Yvaine. L'enchaîner ainsi, comme c'est cruel ! Pourquoi ne le libérez-vous pas ?

Mais la vieille femme ne lui répondit pas, l'ignorant avec superbe. Telle fut, du moins, l'impression de Tristan.

— J'vais t'emm'ner à Wall, annonça-t-elle. Et j'jure, sur mon honneur et mon vrai nom, que je n'te ferai aucun mal de tout l'trajet.

— Que vous ne nous nuirez en aucune façon, ni directe ni indirecte, par vos actes ou votre inaction, et que vous ferez en sorte qu'il ne nous arrive rien, ni à ma compagne, ni à moi.

— Tout c'que tu veux.

Tristan réfléchit un moment. Il n'avait décidément aucune confiance en cette vieille femme.

— Jurez-moi que nous arriverons à Wall dans les mêmes conditions et le même état que nous sommes à présent et que vous nous procurerez le gîte et le couvert durant l'intégralité du voyage.

La vieille gloussa, puis hocha la tête. Elle redescendit de la roulotte, se racla la gorge et cracha par terre.

— À toi, fit-elle, en pointant l'index sur le crachat dans la poussière.

Tristan cracha juste à côté. Elle mélangea du bout du pied les deux taches de salive.

— Voilà. Marché conclu. Cochon qui s'en dédit. Donne-moi la fleur.

L'avidité et la convoitise qui se lisaient sur les traits de la vieille femme étaient telles que Tristan regretta aussitôt de ne pas s'être montré plus exigeant : nul doute qu'il eût pu faire une bien meilleure affaire. Cependant, un marché était un marché et il lui donna la fleur de son père. À peine avait-elle refermé ses doigts crochus sur le perce-neige qu'un rictus grimaçant tordait sa bouche édentée.

— Ma foi, j'crois bien qu'celle-là vaut encore mieux qu'celle que cette maudite souillon m'a bazardée, y a près de vingt ans. Et maint'nant, dis-moi, jeune homme, fit-elle, en posant sur Tristan un regard étonnamment perçant pour son grand âge. As-tu la moindre idée de c'que tu portais à la boutonnière ?

— Une fleur, répondit Tristan. Une fleur de verre.

La mégère s'esclaffa. Tristan s'y attendait si peu et elle riait si fort qu'il crut qu'elle s'étranglait.

— C'est un charme pétrifié, lui dit-elle. Un objet magique, un artefact, quelqu'chose qui, placé entre de bonnes mains, peut accomplir des miracles et faire des merveilles qu't'imagines même pas. Regarde.

Elle leva le perce-neige au-dessus de sa tête, puis l'abaissa lentement, de façon à effleurer le front de Tristan.

Pendant une fraction de seconde, Tristan se sentit extrêmement bizarre, comme si, en guise de sang, une sorte d'épaisse et noire mélasse lui coulait dans les veines. Puis, brusquement, le monde changea de dimension : autour de lui, tout était titanesque, écrasant. Même la vieille s'était métamorphosée en horrible géante. C'est alors que sa vue se brouilla et que tout devint trouble.

Deux énormes mains s'avancèrent vers lui et le soulevèrent délicatement.

— Y a plus grand, comme roulotte, dit Madame Semele, sa voix résonnant à son oreille comme un grondement sourd et sirupeux. Mais j'tiendrai parole, à la lettre : on n'te f'ra aucun mal et tu s'ras nourri-logé pendant tout l'trajet jusqu'à Wall, foi d'Sally.

Puis elle laissa tomber le loir dans la poche de son tablier et remonta dans la roulotte.

— Et moi ? demanda Yvaine. Que comptez-vous faire de moi au juste ?

Mais elle ne fut pas autrement surprise quand elle n'obtint aucune réponse de la sorcière. Faute de quoi, lui emboîtant le pas, elle la suivit dans la roulotte. À l'intérieur, il n'y avait qu'une seule pièce et, le long d'une des cloisons, une sorte de large présentoir de cuir et de pin percé de centaines de petits trous. Ce fut dans l'une de ces alvéoles, sur une couche moelleuse de duvet de chardon, que la vieille femme plaça le perce-neige. Puis elle se pencha pour tirer une cage de bois coincée sous le petit lit accolé à l'autre cloison, sortit le loir de sa poche et l'enferma dans la cage. Elle prit ensuite une poignée d'un mélange de fruits secs et de graines dans un bol de bois et les jeta à l'intérieur de la cage qu'elle suspendit à une chaîne tombant du plafond, au centre de la roulotte.

— Et voilà. Nourri ET logé.

Assise sur la couche de son hôtesse, Yvaine avait assisté à la scène avec curiosité.

— Me tromperais-je, s'enquit-elle poliment, en concluant, d'après les éléments à disposition (à savoir : que vous ne m'avez même pas jeté un regard – ou, si vous l'avez fait, celui-ci n'a fait que glisser sur moi –, que vous ne m'avez pas adressé une seule fois la parole et que, si vous avez changé mon compagnon en petit animal, vous n'avez, en revanche, pris aucune semblable disposition à mon égard) que vous ne pouvez ni me voir ni m'entendre ?

Sans manifester la moindre réaction, la sorcière se dirigea vers la banquette avant, s'assit et saisit les rênes. L'oiseau exotique sautilla jusqu'à elle et émit un bref trille étonnamment discordant.

— Pour sûr qu'j'ai t'nu parole. Et à la lettre encore ! s'indigna la vieille femme, comme en réponse au cri du volatile. Il retrouv'ra sa forme normale, une fois sur l'champ de foire, donc avant d'arriver à Wall, comme promis. Et, après lui avoir rendu forme humaine, j'en f'rai autant pour toi, parce qu'y faut vraiment que j'me trouve une meilleure servante que toi, espèce de souillon ! J'n'aurais pas pu supporter d'l'avoir dans les jambes toute la sainte journée, fourrant son nez partout, espionnant tout c'que j'fais et posant des questions à tout bout d'champ. Et il aurait fallu que j'lui donne à manger, par-dessus l'marché, et bien plus qu'des noisettes et des graines, crois-moi !

Pliée de rire, elle se tenait les côtes en se balançant d'avant en arrière.

— Oh ! il aura intérêt à s'lever matin çui qui voudra m'rouler. Et j'crois bien qu'la fleur de c'glaiseux est encore plus belle qu'celle qu'tu m'as perdue, y a des années d'ça.

Elle se saisit des rênes et, d'un claquement de langue, activa ses mules.

Tant que la roulotte bringuebalait à travers la forêt, Yvaine dormait, pelotonnée sur la couche de la sorcière. Quand la roulotte s'arrêtait, elle se réveillait et se levait. Pendant que la vieille femme dormait, Yvaine montait sur le toit admirer les étoiles. Parfois, l'oiseau venait lui tenir compagnie. Yvaine le caressait, lui murmurait des mots doux, se montrant toujours aux petits soins avec lui : c'était si bon d'avoir « quelqu'un » qui lui accordait un peu d'attention. Sans lui, elle aurait tout aussi bien pu ne pas exister. Cependant, dès que la sorcière furetait dans les parages, l'oiseau l'ignorait souverainement.

Yvaine s'occupait également du loir qui passait le plus clair de son temps à dormir, roulé en boule, la tête blottie entre les pattes. Quand la sorcière partait ramasser du bois ou chercher de l'eau, Yvaine le sortait de sa cage, le câlinait, lui parlait et, quelquefois, chantait pour lui, bien qu'elle ignorât s'il restait quoi que ce fût de Tristan dans ce petit animal au regard placide qui levait vers elle ses petits yeux somnolents, telles deux gouttelettes d'encre noire noyées dans leur écrin de fourrure plus douce que le sable des dunes.

Elle n'avait plus mal à la hanche et beaucoup moins mal aux pieds depuis qu'elle n'était plus contrainte à une marche forcée quotidienne. Mais, elle ne se voilait pas la face : elle boiterait toujours. Tristan n'était pas chirurgien. Il avait fait de son mieux – Meggot elle-même l'avait reconnu –, mais, pour ce qui était de réduire une fracture, il fallait bien admettre qu'il n'était pas très doué.

Quand, d'aventure – ce qui n'était guère fréquent –, ils croisaient d'autres voyageurs, l'étoile s'arrangeait toujours pour ne pas se faire voir. Cependant, elle ne tarda pas à se rendre compte que, quand quelqu'un lui adressait la parole devant la sorcière – ou, même, comme un bûcheron l'avait fait un jour, la montrait du doigt en demandant à Madame Semele qui elle était –, la sorcière semblait dans l'incapacité la plus totale de percevoir sa présence, ou même d'entendre un seul mot qui eût un quelconque rapport avec elle.

Ainsi passèrent les semaines, au rythme du couinement des roues, du cliquetis des harnais et des cahots de la roulotte, pour la sorcière, l'oiseau, le loir et l'étoile tombée du ciel.

Chapitre
neuf

*Où il est essentiellement question des événements
survenus dans la Passe de Pat Lepelleteur.*

Une profonde entaille entre deux collines verdoyantes,
voilà ce qu'était la Passe de Pat Lepelleteur : une brèche
entre deux hauts reliefs de craie blanche que recouvrait
une fine couche de terre ocre tapissée d'herbe rase – si
fine en vérité qu'un arbrisseau peinait à s'y enraciner – et
qui, de loin, faisait comme une déchirure blanche dans
un tapis de velours vert. La légende locale voulait que cette
faille ait été creusée, en un jour et une nuit, par un certain
Pat, lequel Pat aurait utilisé, en guise de pelle, l'ancienne
lame d'une épée fondue et forgée par un dénommé Way-
land Laforge, de Wall, au cours de son voyage en Faërie.
Il y avait ceux qui prétendaient que ladite épée n'était
autre que Flamberge et ceux qui soutenaient qu'il s'agissait de Balmung, mais nul n'aurait pu se vanter de savoir
qui était le fameux Pat Lepelleteur, pour peu qu'il ait
jamais existé, hormis dans ce qui n'était peut-être, d'ailleurs, qu'une histoire à dormir debout. Quoi qu'il en soit,
pour aller à Wall, il fallait emprunter la Passe de Pat Lepelleteur et tout voyageur, fût-il à pied, à cheval ou pourvu
de tout autre moyen de locomotion, la traversait, s'avan-
çant entre ces deux immenses falaises de craie blanche
au-dessus desquelles, tels de verts édredons d'un lit de
géant, les collines faisaient le gros dos.

Au beau milieu de la Passe, en bordure de route, se
dressait ce qui, à première vue, ressemblait à un tas de
brindilles. Mais, à y regarder de plus près, la chose tenait
plutôt, tout à la fois, de la cabane miniature et du tipi

géant, avec un trou dans le toit dont s'échappait, de temps à autre, un filet de fumée grise.

Cela faisait déjà deux jours que l'homme en noir examinait le tas de branchages, du haut de la colline. Il lui avait bien fallu tout ce temps pour oser s'aventurer davantage. La cabane, en avait-il conclu, était habitée par une femme d'un âge avancé. Elle y vivait manifestement seule et semblait n'avoir rien trouvé de mieux à faire que d'arrêter tous les voyageurs qui franchissaient la faille, qu'ils fussent seuls ou en groupes, à pied, à cheval ou en voiture. Et, quand il ne venait personne, elle passait son temps à attendre qu'il vienne quelqu'un.

La petite vieille semblait bien inoffensive. Mais Septimus n'était pas, sans quelque raison, le dernier fils survivant de la lignée des Stormhold : il n'avait pas pour habitude de se fier aux apparences. Aussi paisible que parût cette vieille femme, c'était elle, il en était convaincu, qui avait égorgé Primus.

Le devoir de vengeance imposait sa loi et l'honneur des Stormhold exigeait son dû : une vie pour une vie. Mais rien ne précisait de quelle manière cette vie devait être prise. Cela étant, par tempérament, Septimus appartenait à l'espèce des venimeux. Les armes, les coups, les traquenards avaient du bon, dans leur genre, mais une petite fiole d'un clair liquide, dont le goût et l'odeur disparaissent une fois mélangé à la nourriture, voilà de quoi donner toute la mesure de son talent ! Empoisonneur, telle était sa vocation.

Malheureusement, la petite vieille semblait ne rien avaler qu'elle n'ait cueilli ou capturé elle-même et, quoiqu'il ait, un moment, caressé le projet de lui laisser une tarte croustillante – avec de belles pommes bien mûres et de jolies petites baies vénéneuses – sur le pas de sa porte, il y avait rapidement renoncé : trop fantaisiste. Il avait aussi envisagé de faire basculer un gros rocher depuis le bord de la falaise pour détruire la cabane, mais avait également rejeté cette éventualité : trop aléatoire. Il regrettait de ne pas être meilleur magicien – il possédait bien quelques-uns des dons héréditaires qui se transmettaient, au gré des générations, dans la famille, ainsi que quelques autres pouvoirs mineurs qu'il avait appris ou volés, de-ci de-là, au fil des années, mais rien qui pût lui être de quelque utilité en pareille circonstance, pas quand il lui aurait fallu provoquer une inondation, déchaîner un ouragan ou invoquer la foudre. Aussi Septimus surveillait-il sa victime en puissance comme un chat surveille une souris : de jour comme de nuit, pendant des heures et des heures.

Il était plus de minuit ; l'obscurité était totale, quand, se faufilant à pas de loup, Septimus arriva devant la cabane de branchages. Il tenait une marmite, dans une main, et un volume de poésie romantique ainsi qu'un nid de merle garni de pommes de pin, dans l'autre. À sa ceinture pendait un gros gourdin de bois de chêne dont la tête, hérissée de clous de cuivre, n'aurait guère déparé une masse d'arme. Il colla l'oreille contre la porte, mais n'entendit guère que le bruit d'une respiration régulière interrompue, de temps à autre, par un grognement ensommeillé. Ses yeux avaient eu le temps de s'accoutumer aux ténèbres et la bicoque se découpait nettement sur la craie blanche de la Passe. Il se glissa sans un bruit vers l'angle de la cabane d'où il pourrait le mieux surveiller la porte.

Il commença par déchirer les pages du recueil de poésies et chiffonna chaque poème pour en faire une boule ou une papillote qu'il coinça entre les branchages du mur, à ras du sol. Ensuite, il disposa les pommes de pin par-dessus les poèmes. Puis, il ouvrit la marmite et, avec la pointe de son couteau, attrapa une poignée de bandes de tissu trempées de cire qu'il avait couchées sur le couvercle et les plongea dans les braises ardentes au fond du récipient. Quand elles s'enflammèrent, il les plaça sur les papillotes de papier et les pommes de pin, puis souffla doucement sur les flammes vacillantes jusqu'à ce que le feu prît. Il parsema alors le foyer naissant des brindilles sèches du nid de merle. Le feu crépita, s'épanouit et commença à se propager. La petite fumée montant des branchages enchevêtrés obligea Septimus à réprimer une quinte de toux. Puis le mur entier s'enflamma et Septimus sourit.

Il retourna se poster à la porte de la cabane, brandissant bien haut son gourdin. *Parce que*, avait-il calculé, *de deux choses l'une : ou la vieille sorcière brûle avec sa bicoque – auquel cas ma tâche est accomplie –, ou elle sent la fumée, se réveille et, succombant à la terreur et à l'affolement, court hors de la maison – auquel cas je lui donne un bon coup de gourdin qui lui fera entrer la tête dans le corps avant qu'elle n'ait le temps de souffler mot : la meurtrière de mon frère sera morte et je serai vengé.*

— C'est un bon plan, commenta Tertius, imitant à s'y méprendre les craquements du bois sec. Et, une fois qu'il l'aura tuée, il pourra s'employer à récupérer le Pouvoir de Stormhold.

— C'est ce que nous verrons, répondit Primus, dans la plainte d'un oiseau de nuit.

Les flammes léchèrent la bicoque, puis s'élevèrent et, brusquement, gagnèrent les flancs dans un grand embrasement flamboyant. Personne à la porte de la cabane. L'endroit fut bientôt un véritable enfer, et la fournaise telle que Septimus dut battre en retraite. Son sourire s'élargit ; une lueur de triomphe alluma son regard placide et il abaissa son gourdin.

C'est alors qu'il ressentit une violente douleur au talon. Il tourna la tête et aperçut un petit serpent aux yeux étincelants et aux crochets profondément plantés dans le cuir de sa botte. Le minuscule reptile paraissait cramoisi dans le rougeoiement des flammes. Septimus balança son gourdin, mais, déjà, l'animal avait lâché prise. Vif comme l'éclair, il avait fait volte-face pour disparaître derrière un gros rocher crayeux.

La douleur commença à s'estomper un peu. *Si sa morsure est venimeuse*, pensa Septimus, *le cuir aura en grande partie absorbé le poison. Je vais me placer un garrot au mollet, puis j'enlèverai ma botte et je ferai une incision en croix à l'endroit où j'ai été mordu et j'aspirerai le venin.* Il s'assit donc sur le rocher le plus proche, se tournant de façon à profiter de la vive clarté des flammes, et tira sur sa botte... qui lui résista. Il avait déjà le pied tout engourdi. *Il doit enfler à vue d'œil*, songea-t-il. *Eh bien, il ne me reste plus qu'à cisailler ma botte.* Il tendit la jambe et, saisissant son poignard, se penchait pour taillader le cuir, quand, soudain, il se trouva plongé dans le noir complet. Pendant une fraction de seconde, il crut tomber dans un puits sans fond et se dit qu'il devait avoir perdu connaissance. C'est alors seulement qu'il comprit : les flammes qui, l'instant d'avant, illuminaient la Passe comme un bûcher ardent, avaient subitement disparu. Le sang se glaça dans ses veines.

— Alors comme ça, fit une voix derrière lui – une voix douce comme l'écharpe soyeuse de l'étrangleur, suave comme une friandise empoisonnée –, tu croyais te réchauffer les os en faisant de mon humble chaumière un grand feu de joie. Attendais-tu derrière la porte, prêt à étouffer les flammes, au cas où ta petite plaisanterie n'aurait pas été à mon goût ?

Non que Septimus ne daignât pas lui répondre, mais ses mâchoires semblaient tétanisées et si crispées qu'il ne pouvait desserrer les dents. Son cœur cognait dans sa poitrine, non pas à sa cadence régulière habituelle, mais avec une arythmie frénétique, comme un tambour scandant quelque sabbat échevelé. Un torrent de feu lui coulait dans les veines, embrasant son corps tout entier. À moins que ce ne fût plutôt un torrent de glace ? Il n'aurait su dire. Mais il sentait chacun de ses vaisseaux, du plus petit capillaire à la plus grosse artère, avec l'acuité d'une plaie vive.

Une femme apparut devant lui. Elle ressemblait à la petite vieille qui vivait dans la hutte de bois, mais en plus âgée, en beaucoup plus âgée. Septimus voulut cligner des paupières pour chasser les larmes qui lui brouillaient la vue, mais il ne savait plus comment s'y prendre : ses yeux refusaient de se fermer.

— Tu devrais avoir honte, lui dit la femme. Incendie volontaire et tentative d'agression sur la personne d'une pauvre vieille dame livrée à elle-même, à la merci du premier vagabond venu, n'était la bienveillance de ses petits amis. Tss, tss, tss !

Puis elle se pencha pour ramasser quelque chose qu'elle enroula autour de son poignet et s'en retourna dans sa cabane – laquelle était miraculeusement intacte ou restaurée, Septimus n'aurait su dire et, du reste, n'en avait cure.

Son cœur folâtrait dans sa poitrine, enchaînant cabrioles et syncopes avec une telle violence qu'il en aurait hurlé – s'il l'avait pu. L'aube se leva avant que la souffrance ne s'éteigne enfin et que, d'une même voix, les six frères défunts n'accueillent Septimus dans leurs rangs.

Septimus jeta un dernier regard au corps torturé qui avait été le sien et à l'expression douloureuse qui se lisait dans ses prunelles, puis il se détourna.

— Il n'en reste aucun pour nous venger, dit-il, par le truchement des courlis. Et aucun d'entre nous ne deviendra Maître de Stormhold. Nous n'avons plus rien à faire ici.

À peine s'était-il tu qu'il ne restait pas même une âme défunte dans la place.

Le soleil était déjà haut dans le ciel quand la roulotte de Madame Semele s'avança, cahin-caha, entre les falaises de craie blanche.

Madame Semele remarqua bientôt le taudis noir de suie sur le bord de la route et, la distance s'amenuisant, la femme courbée par les ans qui lui faisait des signes depuis le seuil. Elle portait une longue robe rouge délavée, avait les cheveux blancs comme neige, le visage ridé comme une vieille pomme et un œil laiteux qui, d'évidence, n'y voyait goutte.

— Le bon jour, consœur. Que lui est-il donc arrivé, à ta bicoque ? lui demanda Madame Semele.

— Ah ! les jeunes d'aujourd'hui ! Un de ces petits madrés s'est dit que ce serait amusant de mettre le feu à la maison d'une pauvre vieille qui n'a jamais fait de mal à une mouche. Eh bien, il a su de quel bois je me chauffe ! Ça lui apprendra.

— Sûr, répondit Madame Semele. Z'apprennent toujours. Et pensez-vous qu'y s'raient r'connaissants pour la l'çon ? Même pas !

— C'est bien vrai, acquiesça la vieillarde. Mais, dis-moi donc, ma jeune amie, qui t'accompagne dans tes voyages, ces temps-ci ?

— Ça, cracha Madame Semele avec dédain, c'est pas vos oignons. Et j'vous remercierai d'pas vous mêler de c'qui vous r'garde pas.

— Qui t'accompagne ? Réponds. Et ne me mens pas, sinon j'envoie une bande de harpies te tailler en pièces. Elles t'arracheront d'abord, un à un, les bras et les jambes et elles pendront le reste à un crochet, dans leur antre souterrain, bien profond, pour s'en repaître ou se distraire à l'écorcher.

— Et qui vous êtes donc pour me m'nacer comme ça ?

La vieillarde riva sur Madame Semele le regard perçant de son œil unique.

— Je te reconnais, Sal la Souillon. Ne le prends pas de haut avec moi. Qui t'accompagne ?

Madame Semele sentit alors les mots s'envoler de sa bouche malgré elle.

— Les deux mules qui tirent ma roulotte, une servante qu'j'ai changée en oiseau et un jeune homme qu'j'ai changé en loir.

— C'est tout ? Personne d'autre ? Rien d'autre ?

— Rien ni personne. J'le jure sur l'Ordre.

La vieillarde fit la moue.

— Bon, alors va-t'en ! Allez, file ! Et que je ne te revoie pas !

Madame Semele empoigna les rênes et, d'un claquement de langue, mit ses mules au pas. L'attelage s'ébranla et reprit la route.

Sur sa couche de fortune, dans la pénombre confinée de sa chambre ambulante, l'étoile poursuivit son rêve, inconsciente du danger auquel elle venait d'échapper, sans même soupçonner que la mort pût l'avoir frôlée d'aussi près.

Quand la cabane et la pâleur mortelle de la Passe de Pat Lepelleteur eurent disparu à l'horizon, l'oiseau exotique sauta sur son perchoir en battant des ailes, puis il arqua le cou, rejetant la tête en arrière, et se mit à piailler, à trompeter, à coqueriquer, à chanter jusqu'à ce que Madame Semele lui ordonnât de se taire sous peine de lui tordre le cou. Mais, même après s'être réfugié à l'intérieur de la roulotte et en dépit de la douce quiétude qui y régnait, le bel oiseau gloussa, pépia, gazouilla, trilla et, par une fois, il se mit même à hululer comme une chevêche.

Le soleil était déjà bas quand ils arrivèrent en vue de Wall. Aveuglés par ses rayons, ils avaient l'impression de flotter dans un bain d'or liquide : tout ce qui les entourait, le ciel, les arbres, les buissons, la route elle-même semblaient recouverts d'or dans la magie du couchant.

La lisière de la forêt franchie, Madame Semele tira sur les rênes. La roulotte s'immobilisa dans la prairie, près de l'emplacement habituel de son stand. Elle détela les deux mules, les mena à la rivière et les attacha à un arbre. Assoiffées, les pauvres bêtes se précipitèrent vers l'eau cristalline qu'elles burent à grandes lampées sonores.

D'autres forains – des gens des environs, mais aussi des étrangers – installaient déjà leurs étals un peu partout dans la prairie. Certains montaient leur tente. D'autres suspendaient de grandes banderoles dans les arbres. Une attente fébrile flottait dans l'air, une excitation presque palpable qui, comme la lumière dorée du couchant, semblait toucher tout et chacun.

Madame Semele rentra dans la roulotte et décrocha la cage du plafond pour aller la poser au sommet d'un petit tertre herbeux. Elle ouvrit la porte et referma ses doigts décharnés sur le loir endormi.

— Allez, dehors ! lui dit-elle.

Le loir se frotta les yeux avec ses pattes antérieures et, ébloui par la clarté du jour déclinant, battit des paupières.

La sorcière plongea la main dans son tablier et en sortit une jonquille de cristal avec laquelle elle effleura le museau du petit rongeur.

Tristan cligna des yeux en écrasant un bâillement et se passa la main dans les cheveux. C'est alors qu'il aperçut la sorcière. Il lui décocha un regard flamboyant de colère.

— Oh vous ! espèce de vieille bique ! je...

— Tais-toi au lieu de dire des bêtises ! l'interrompit sèchement Madame Semele. J'ai amené ici, sain et sauf. Tel j't'ai trouvé, tel t'es. J't'ai nourri, j't'ai logé et, si l'gîte et l'couvert n'étaient pas à ton goût, eh bien, qu'est-ce que j'peux y faire, moi ? Et, maint'nant, déguerpis, avant qu'je n'te change en ver de terre et qu'je n'te croque la tête, si c'est pas la queue. Allez, va-t'en ! Pshttt ! Pshttt !

Tristan compta jusqu'à dix, en respirant profondément, puis s'éloigna d'un pas martial. Il s'arrêta une quinzaine de mètres plus loin, près d'un fourré, et attendit l'étoile qui se faufila hors de la roulotte par un petit escalier latéral pour le rejoindre.

— Tout va bien ? lui demanda-t-il, manifestement inquiet.

— Oui, merci, répondit l'étoile. Elle ne m'a pas maltraitée. En fait, je ne crois pas qu'elle se soit jamais aperçue de ma présence. Étrange, n'est-ce pas ?

Madame Semele s'occupait de l'oiseau, à présent. Comme elle lui effleurait la tête avec sa fleur de verre, le volatile se mit à ondoyer comme un mirage, puis ses contours perdirent toute définition, et, à sa place, apparut une gracieuse jeune fille aux longs cheveux noirs. La jouvencelle avait des oreilles duveteuses de chat et semblait à peine plus âgée que Tristan. En surprenant le furtif regard qu'elle dardait sur lui, le jeune homme fronça les sourcils. Ces yeux-là avaient assurément quelque chose de familier, mais où les avait-il déjà vus ? Il ne parvenait pas à se le rappeler. Comment aurait-il jamais pu oublier des prunelles d'un violet si étincelant ?

— Telle est donc la véritable apparence de l'oiseau, chuchota Yvaine. Ce fut un merveilleux compagnon de voyage.

C'est alors que l'étoile aperçut la chaîne d'argent qui brillait à la cheville et au poignet de la jeune fille : bien que l'animal ait recouvré forme humaine, l'entrave qui retenait l'oiseau captif n'avait pas disparu. Elle s'en émut et la montra à Tristan.

— Oui, répondit celui-ci. J'ai remarqué. C'est vraiment affreux. Mais je ne vois malheureusement pas ce que nous pouvons y faire.

Et il entraîna l'étoile en direction de la brèche.

— Nous irons d'abord voir mes parents, annonça-t-il. Je suis sûr que je leur ai manqué tout autant qu'ils m'ont manqué (quoique, pour être tout à fait honnête, il n'ait pas une seule fois pensé à ses parents depuis qu'il était parti) et, ensuite, nous irons rendre visite à Victoria Forester et...

Ce fut sur ce « et » que Tristan suspendit son discours. Parce que... enfin, il ne parvenait plus à réconcilier son idée de départ – l'idée de donner l'étoile à Victoria Forester – avec sa vision actuelle des choses – à savoir que l'étoile n'était pas un objet que l'on pouvait se passer de main en main, mais bel et bien, à tous égards, une véritable personne. Et pourtant... Victoria Forester était, n'avait cessé d'être et serait toujours l'amour de sa vie. Or, il lui avait promis...

Bon. Tout bien considéré, il s'occuperait du problème, le moment venu, décréta-t-il. Une fois au pied du mur, il trouverait sans doute une solution. Mais, en attendant, il allait emmener Yvaine au village. *Il faut laisser faire les événements*, se disait-il. Il les gérerait au fur et à mesure, quand ils se présenteraient. Rasséréné par cette prompte résolution, il se sentit, soudain, le cœur léger. Sa mésaventure de loir en cage n'était déjà plus qu'un vague souvenir, de ceux que vous laissent les rêves, comme s'il s'était endormi devant le feu et se réveillait, frais comme un gardon, après avoir fait la sieste tout l'après-midi. Tout juste s'il n'avait pas encore dans la bouche le goût de la fameuse bière de Mr. Bromios, bien qu'il ait oublié – se rendit-il compte, tout à coup, avec horreur – la couleur des yeux de Victoria Forester...

Les toits de Wall se découpaient sur l'énorme disque rouge du soleil couchant quand, traversant la prairie à pas lents, Tristan et Yvaine aperçurent la brèche. L'étoile hésita.

— Y tenez-vous vraiment ? lui demanda-t-elle, soudain. Parce que je dois vous avouer que j'éprouve quelque appréhension et...

— Ne soyez pas si nerveuse, l'interrompit-il. Cela dit, je comprends votre fébrilité : j'en ai, quant à moi, l'estomac tout retourné. Mais vous vous sentirez tellement mieux quand vous serez confortablement installée dans le salon, chez mes parents, à boire un bon thé que ma mère vous aura préparé – enfin, à faire mine de le boire. Tiens ! je suis sûr que, pour recevoir une telle invitée et fêter dignement le retour de son garçon, elle mettra les petits plats dans les grands.

Sa main chercha la sienne. Il l'étreignit discrètement pour la tranquilliser.

Elle le dévisagea en silence, puis lui adressa un petit sourire, très doux et pourtant étrangement triste.

— Là où va mon Seigneur... murmura-t-elle.

Et, main dans la main, le jeune homme et l'étoile se dirigèrent vers la brèche.

Chapitre
dix

Poussière d'étoile.

Il a déjà été observé, occasionnellement, qu'il est aussi aisé de passer à côté de ce qui est gros et flagrant que de passer à côté de ce qui est petit et insignifiant, et que les grosses choses à côté desquelles l'on passe peuvent souvent causer quelques menus désagréments.

C'était la deuxième fois depuis sa conception, dix-huit ans plus tôt, que Tristan Thorn abordait le mur par sa face est, autrement dit : en laissant Faërie derrière lui. Mais, cette fois-ci, il n'était pas seul : boitant silencieusement auprès de lui, l'étoile l'accompagnait. Les odeurs et les bruits montant de son village natal lui tournaient la tête et lui mettaient le cœur en fête. Comme il s'approchait d'eux, il salua poliment les gardes en faction. Il les avait immédiatement reconnus : le plus jeune, celui qui se balançait d'un pied sur l'autre en buvant une pinte de bière – probablement celle, ô combien fameuse, de Mr. Bromios –, n'était autre que Wystan Pippin, un de ses anciens camarades de classe – mais rien moins qu'un ami, le plus vieux, celui qui tirait nerveusement sur sa pipe – qui, au demeurant, s'était éteinte – n'était autre que son ancien employeur chez Lundy & Brown : Sir Jerome Ambrose Brown en personne. Les deux hommes étaient de dos, le regard résolument tourné vers le village, comme s'ils estimaient sacrilège d'assister aux préparatifs qui se déroulaient derrière eux.

— Bonsoir Wystan. Bonsoir Mister Brown, dit Tristan.

Les deux sentinelles sursautèrent. Wystan renversa sa bière sur le devant de sa veste et Mr. Brown leva son gourdin pour le pointer sur le torse de Tristan. Le gourdin tremblait : Mr. Brown semblait passablement nerveux. Quant à Wystan Pippin, après avoir posé sa chope par terre, il se saisit de son gourdin et, tendant le bras, lui barra l'entrée du village.

— Restez où vous êtes ! s'écria Mr. Brown, en agitant le sien, comme s'il avait affaire à quelque bête sauvage près de lui sauter à la gorge.

Tristan s'esclaffa.

— Vous ne me reconnaissez donc pas ? s'étonna-t-il, incrédule. C'est moi, Tristan Thorn.

Mais Mr. Brown, qui – comme nul ne l'ignorait – était le vétéran des gardes, n'en abaissa pas son gourdin pour autant. Il inspecta Tristan de pied en cap, avec une moue dégoûtée pour ses bottes éculées et ses cheveux en bataille, puis examina attentivement son visage hâlé et émit un petit reniflement dédaigneux.

— Même si vous étiez ce bon à rien de Thorn, fit-il, nullement impressionné, je ne verrais aucune raison de vous laisser passer. Nous sommes quand même censés le garder, ce mur, après tout !

Tristan n'en croyait pas ses oreilles.

— Moi aussi j'ai monté la garde devant ce mur, lui fit-il remarquer. Et il n'existe aucun règlement qui interdise de laisser passer les gens dans ce sens-là. Seulement quand ils viennent du village.

Mr. Brown hocha lentement la tête.

— Et, même en admettant que vous soyez Tristan Thorn, hypothèse purement théorique que je vous concède uniquement pour la beauté de la démonstration – parce que vous ne lui ressemblez absolument pas et que vous ne parlez pas du tout comme lui non plus –, lui rétorqua-t-il, du ton de qui s'adresse à un demeuré, durant toutes ces années que vous avez passées ici, combien de gens venant de la prairie ont franchi le mur ?

— Eh bien, aucun, que je sache, répondit Tristan.

Mr. Brown lui adressa un petit sourire satisfait, celui-là même qu'il lui réservait quand, le voyant arriver cinq minutes en retard au magasin, il lui annonçait, avec une jouissance manifeste, qu'il lui retiendrait une matinée de salaire.

— Précisément, triompha-t-il. Il n'existe aucun règlement qui l'interdise parce que cela n'arrive jamais. Personne ne franchit le mur dans ce sens-là. Pas tant que je suis de faction, en tout cas. Et maintenant, déguerpissez avant que je ne vous fasse tâter de mon gourdin.

Tristan était abasourdi.

— Si vous croyez que j'ai traversé... eh bien, tout ce que j'ai traversé, pour me faire refouler, au dernier moment, par un grippe-sou d'épicier bouffi de suffisance et un fumiste qui copiait sur moi en Histoire ! Je vous garantis que...

— Laissez, Tristan, l'interrompit doucement Yvaine, en posant la main sur son bras pour le calmer. Vous n'allez quand même pas vous battre avec les vôtres.

Le regard fulminant, Tristan rumina sa déconvenue en silence, puis tourna les talons sans mot dire. Comme Yvaine tentait de le rattraper, il régla bientôt son pas sur le sien. Autour d'eux, des créatures de toutes sortes et des gens de tous horizons installaient leurs stands dans un joyeux désordre : qui, hissant ses oriflammes ; qui, poussant sa brouette ; qui, déchargeant sa marchandise. C'est alors que Tristan se sentit submergé par quelque chose qui ressemblait fort à de la nostalgie, une espèce de mal du pays, mais qui aurait autant tenu du désir de rester que du désespoir de partir, et il se dit que ces gens-là auraient tout aussi bien pu être les siens, car il se sentait plus proche d'eux que de tous ces villageois blafards de Wall, avec leurs vestes étriquées en worsted et leurs souliers à bout ferré.

Ils arrêtèrent leurs pas devant une petite bonne femme, presque aussi large que haute, qui semblait suer sang et eau pour monter son stand. Sans hésiter, Tristan s'empressa de lui prêter main-forte, portant les lourdes caisses de sa carriole à son étal, grimpant sur son escabeau pour suspendre aux branches tout un assortiment de banderoles, déballant lourdes carafes et cruches de verre (fermée par un énorme bouchon de liège noirci, que scellait une sorte de cire argentée, chacune d'elles était remplie de languides volutes de fumée colorées, agitées de paresseux remous) pour les disposer sur les étagères. Tandis que Tristan s'activait aux côtés de la marchande de fumée, assise sur une souche toute proche, Yvaine accompagnait leur travail de sa voix mélodieuse, au timbre si pur et aux accents si doux. Elle chantait les chansons des étoiles et les ritournelles qu'elle avait entendues et apprises auprès de ceux qu'ils avaient rencontrés en chemin.

Quand le stand fut enfin prêt pour la foire du lendemain, les lampes étaient depuis longtemps allumées. La femme insista pour les garder à dîner. Yvaine ne parvint pas sans peine à la convaincre qu'elle n'avait pas faim, mais Tristan mangea tout ce qu'on lui offrait avec enthousiasme et – une fois n'est pas coutume – vida la majeure partie d'une carafe de vin doux des Canaries, assurant qu'il n'était pas plus fort qu'un jus de raisin frais pressé et n'avait sur lui absolument aucun effet. Leur hôtesse ne leur avait pas plus tôt proposé, en guise de couche, l'épais tapis d'herbe tendre près duquel elle avait garé sa carriole que Tristan plongeait déjà dans une profonde torpeur avinée.

La nuit était claire et froide. Assise près du jeune homme endormi – qui avait quand même été son ravisseur avant de devenir son compagnon de route –, l'étoile se demandait où avait bien pu passer la haine que, naguère encore, la seule vue de ce visage attisait. Elle n'avait pas sommeil.

Un bruissement l'alerta. Elle se retourna vivement. Une jeune fille aux cheveux noirs se tenait près d'elle. Elle aussi regardait Tristan dormir.

— Il lui reste un petit quelque chose du loir, murmura l'inconnue.

Elle avait des oreilles de chat et semblait à peine plus âgée que Tristan.

— Parfois je me demande si elle change les gens en animaux, poursuivit-elle, ou si elle sait déceler l'animal qui sommeille en nous et ne fait que le délivrer. Peut-être suis-je, par nature, quelque part, au fond de moi, un oiseau au plumage chatoyant ? C'est une question à laquelle j'ai beaucoup réfléchi sans jamais trouver de réponse satisfaisante.

Tristan marmonna quelque chose d'inintelligible, s'agita, puis se mit à ronfler en sourdine.

La fille aux cheveux noirs le contourna et s'assit près de lui.

— Il semble avoir bon cœur, reprit-elle.

— Oui, reconnut l'étoile. Je suppose qu'on peut dire cela de lui, en effet.

— Il vaudrait mieux que je vous prévienne, reprit la jeune fille. Si vous quittez cette contrée pour... là-bas... (elle tendit un long bras gracile vers le village de Wall, accrochant au passage un éclat lunaire à la petite chaîne d'argent qui lui ceignait le poignet)... alors, si j'ai bien compris, vous serez changée en ce que vous êtes censée être dans ce monde-là : une chose froide et sans vie, tombée du ciel.

L'étoile tressaillit, mais, au lieu de répondre à celle qui la regardait en silence, elle tendit la main par-dessus le corps de Tristan pour toucher la fine chaîne d'argent qui lui entourait le poignet et la cheville avant de se perdre dans les taillis, derrière elle.

— On s'y habitue, avec le temps, chuchota la fille aux cheveux noirs.

— On s'y habitue ? Vraiment ? s'étonna Yvaine.

Les prunelles violettes scrutèrent l'azur céleste de ses yeux limpides, puis se détournèrent.

— Non.

L'étoile lâcha la chaîne.

— Quand il m'a capturée, c'était avec une chaîne très semblable à celle-ci. Puis il m'a délivrée et je me suis sauvée. Mais il m'a retrouvée et, cette fois, il nous a liés l'un à l'autre plus étroitement encore : j'ai envers lui une dette qui entrave ceux de mon peuple plus solidement qu'aucune chaîne.

Une brise printanière courut à travers la prairie, arrachant aux buissons et aux arbres un long soupir frissonnant. La fille aux oreilles de chat écarta une boucle brune importune.

— Vous avez une autre obligation à remplir, une obligation qui prime sur celle-ci, n'est-ce pas ? souffla-t-elle. Vous avez sur vous quelque chose qui ne vous appartient pas et que vous devez remettre à son légitime propriétaire.

L'étoile pinça les lèvres.

— Qui êtes-vous donc ?

— Je vous l'ai dit : je suis l'oiseau de la roulotte, répondit la jeune fille aux cheveux noirs. Je sais qui vous êtes et je sais pourquoi la sorcière ne s'est jamais aperçue de votre présence auprès d'elle. Je sais qui vous cherche et pourquoi. Je sais également d'où provient la topaze pendue à votre taille. Sachant cela et quelle sorte de créature vous êtes, je sais aussi de quelle dette vous devez, avant tout, vous acquitter.

Elle se pencha et, de ses doigts délicats, repoussa tendrement une mèche rebelle sur le visage de Tristan. Le garçon endormi n'eut pas la moindre réaction.

— Je ne sais si je dois vous faire confiance, avoua l'étoile. Pourquoi vous croirais-je ?

Perdu dans l'ombre des ramures au-dessus d'elles, un oiseau de nuit lança son cri déchirant. Il avait l'air bien triste dans sa solitude de ténèbres.

— J'ai vu la topaze pendue à votre taille, insista la jeune fille aux cheveux noirs, en se relevant. J'ai eu le temps de la regarder pendant que vous vous baigniez dans la rivière et je l'ai reconnue.

— Comment ? demanda l'étoile. Comment avez-vous pu la reconnaître ?

Mais la fille aux oreilles de chat secoua la tête en silence et s'en alla comme elle était venue, volant juste, au dernier instant, un furtif regard au jeune homme endormi. Puis elle se fondit dans la nuit.

La mèche rebelle était retombée sur le visage de Tristan et l'étoile se pencha vers lui pour la repousser. Ses doigts, au passage, s'attardèrent sur la joue fraîche, encore enfantine.

Plongé dans un profond sommeil, Tristan ne se rendit compte de rien.

Le soleil venait de se lever quand Tristan fut réveillé par un gros blaireau qui marchait sur ses pattes de derrière et portait une robe de chambre élimée en soie héliotrope. Ce dernier lui souffla dans l'oreille jusqu'à ce qu'il ouvre des yeux ensommeillés, puis brailla d'un ton suffisant :

— Compagnie Thorn ? Le dénommé Tristan, dans cette unité ?

— Hm ? marmonna Tristan.

Il avait la bouche sèche et pâteuse, la langue chargée et une haleine épouvantable. Il aurait volontiers dormi quelques heures de plus.

— On vous d'mande, insista le blaireau. Là-bas, à la brèche. Paraîtrait qu'y aurait une jeune dame qui voudrait vous parler.

Tristan se redressa d'un bond, un large sourire aux lèvres, puis posa la main sur l'épaule de l'étoile. Yvaine ouvrit les yeux.

— Oui ?

— Bonnes nouvelles, claironna-t-il. Vous vous souvenez de Victoria Forester – j'ai dû mentionner son nom une fois ou deux au cours de notre voyage ?

— Cela se pourrait, en effet.

— Eh bien, je vais la voir ! Elle m'attend à la brèche !

Il marqua un temps.

— Écoutez... ce serait sans doute préférable que vous restiez ici. Je ne voudrais pas qu'elle se fasse des idées ou quelque chose comme ça...

Sans ajouter un mot, l'étoile roula sur le côté et se couvrit la tête de son bras. Tristan en conclut qu'elle s'était rendormie. Il enfila ses bottes, alla se rincer la bouche et faire une toilette de chat à la rivière, puis traversa la prairie comme un fou.

Les gardes en faction, ce matin-là, n'étaient autres que le Révérend Myles, pasteur de Wall, et Mr. Bromios, l'aubergiste. Ils encadraient une jeune femme qui lui tournait le dos.

— Victoria ! s'écria Tristan, aux anges.

Ce fut à ce moment-là que la jeune fille se retourna : ce n'était pas Victoria Forester (qui – il s'en souvenait tout à coup avec soulagement – avait les yeux gris. Oui, c'était bien ça, gris. Comment avait-il pu l'oublier, ne serait-ce qu'une seule seconde ?). Mais qui pouvait bien être cette jeune personne endimanchée avec son joli chapeau et son joli châle brodé ? Il n'en avait pas la moindre idée.

— Tristan ! s'écria-t-elle à son tour, émue aux larmes. C'est bien toi ! Je le savais ! Je le savais ! Oh ! Tristan ! Mais comment as-tu pu faire une chose pareille ? Oh ! Comment as-tu osé ? Comment ?

Il comprit aussitôt qui devait être cette jeune fille qui l'abreuvait de reproches.

— Louisa ? Dis donc ! c'est que tu as grandi depuis mon départ ! La petite peste s'est transformée en ravissante demoiselle, on dirait.

Louisa renifla, puis tira de sa manche son mouchoir de lin bordé de dentelle et se moucha.

— Et toi, lui dit-elle, en se tamponnant les joues, en bohémien hirsute et dépenaillé. Enfin ! Tu parais avoir bonne mine et c'est l'essentiel. Mais que fais-tu donc à rester planté là ? Viens donc ! s'impatienta-t-elle, en lui faisant un signe de la main.

— Mais, le mur... hésita Tristan, en lorgnant nerveusement vers le pasteur et l'aubergiste.

— Oh ! pour ce qui est de ça, lui dit-elle, en balayant l'argument d'une chiquenaude. Quand Wystan et Mister Brown ont terminé leur tour de garde, hier soir, ils se sont aussitôt rendus à la Septième Pie. Dans la conversation, Wystan a évoqué leur rencontre avec un va-nu-pieds qui se faisait passer pour toi et raconté comment ils lui avaient barré le passage – enfin, comment ils t'avaient empêché de passer. Quand cette histoire est venue aux oreilles de Père, son sang n'a fait qu'un tour. Il est monté au pas de charge jusqu'à la Pie et leur a tant et si bien chanté pouilles que j'avais peine à le reconnaître. Ils ont entendu parler du pays, tu peux me croire !

— Certains étaient d'avis de te laisser passer dès ce matin, intervint le pasteur. Mais d'autres étaient pour que tu restes là-bas jusqu'à midi.

— Mais aucun de ceux qui étaient pour te faire attendre n'est de service ce matin, enchaîna Mr. Bromios. Ce qui ne s'est pas fait sans quelques petites finasseries, tu penses bien – et le jour où j'aurais dû tenir ma buvette, je pourrais te faire remarquer ! N'empêche, ça fait plaisir de te revoir. Allez, passe, passe.

Sur ces bonnes paroles, il lui tendit la main. Tristan la serra de bon cœur, puis salua pareillement le pasteur.

— Tristan, lui dit ce dernier, tu as dû en voir des choses extraordinaires au cours de tes pérégrinations.

Tristan réfléchit un instant.

— Sans doute, répondit-il.

— Alors, il faut que tu viennes me rendre visite, la semaine prochaine. Nous prendrons le thé et tu me raconteras tout cela en détail – une fois que tu te seras réinstallé ici, naturellement –, hein ?

Et Tristan, que le pasteur avait toujours un peu impressionné, ne sut guère qu'opiner en silence.

Louisa poussa un soupir – avec une emphase quelque peu théâtrale – et, d'un pas décidé, se dirigea vers la Septième Pie. Tristan dut courir pour la rattraper.

— Ça me fait chaud au cœur de te revoir, ma chère sœur, lui dit-il, tout en marchant à ses côtés.

— Comme si nous ne nous étions pas tous fait un sang d'encre à cause de toi. Humpf ! toi et tes incartades ! le tança-t-elle. Et tu ne m'as même pas réveillée pour me dire au revoir ! Père était fou d'inquiétude et, à Noël, comme tu n'étais toujours pas rentré, après avoir mangé la dinde et le pudding, il a sorti le porto et porté un toast aux absents, et Mère a fondu en larmes. Elle sanglotait comme un bébé. Alors, évidemment, je me suis mise à pleurer aussi. Et puis Père a commencé à se moucher à n'en plus finir dans son beau mouchoir du dimanche et grand-père et grand-mère Hempstock ont alors insisté pour que l'on fasse craquer les diablotins pour lire les devinettes et les histoires drôles et, va savoir pourquoi, cela n'a fait qu'aggraver les choses. En clair, Tristan, tu nous as gâché notre Noël, voilà !

— Désolé. Mais qu'est-ce qu'on va faire, là ? Où allons-nous exactement ?

— À la Septième Pie, ça me semblait évident ! Mr. Bromios a dit que tu pouvais utiliser la petite bibliothèque du haut. Il y a quelqu'un, là-bas, qui voudrait te parler.

Ils poussaient déjà la porte du pub et Louisa n'en dit pas davantage. Il y avait là bon nombre de visages que Tristan reconnaissait et, tandis qu'il se frayait un chemin vers l'escalier, derrière le comptoir, on hochait la tête sur son passage. Certains souriaient, d'autres non. Louisa monta avec lui les étroites marches qui menaient à l'étage. Les planches craquaient sous leurs pas.

Arrivée sur le palier, elle lui jeta un regard noir ; sa lèvre inférieure se mit à trembler et, tout à coup, à la stupeur de Tristan, elle se jeta à son cou et le serra si fort qu'il crut étouffer. Puis, elle tourna les talons et, sans un mot, s'enfuit dans l'escalier.

Il frappa alors à la porte de la bibliothèque et entra. Outre les rayonnages garnis de livres, la pièce était parsemée d'objets insolites, de petits exemplaires de la statuaire antique et de poteries. Au mur était accroché un bâton autour duquel s'enroulaient des feuilles de lierre, ou plutôt, un ruban de métal sombre si habilement forgé que l'on s'y méprenait. Ces éléments de décoration mis à part il aurait pu s'agir de la bibliothèque de n'importe quel célibataire, trop occupé pour avoir le temps de lire... Elle était meublée d'une petite méridienne, d'une table basse sur laquelle était posé un exemplaire, relié pleine fleur et tout écorné, des sermons de Laurence Sterne, d'un piano-forte et de plusieurs fauteuils de cuir. C'était dans l'un de ces fauteuils que Victoria Forester était assise.

Tristan se dirigea vers elle à pas lents, mais assurés, puis mit un genou en terre devant elle, comme autrefois, quand il était tombé à genoux dans la boue d'un certain petit chemin de campagne.

— Oh, non, de grâce ! s'écria Victoria Forester, visible-ment embarrassée. Relève-toi, je t'en prie. Pourquoi ne viens-tu pas t'asseoir là, sur cette chaise ? Voilà qui est mieux.

Les premiers rayons du soleil matinal brillaient à travers les rideaux de dentelle et se prenaient dans les mailles de ses cheveux châtains, nimbant son visage d'or.

— Non mais regardez-le ! s'exclama-t-elle. C'est que tu es devenu un homme ! Et ta main. Que t'est-il donc arrivé à la main ?

— Je me suis brûlé, répondit-il. Dans un feu.

Au début, elle se contenta de le dévisager, puis elle se cala dans son fauteuil et, regardant droit devant elle – le bâton sur le mur, peut-être, ou une des vieilles statues bizarres de Mr. Bromios –, elle se lança :

— J'ai certaines choses à te dire, Tristan. Et ce ne sera pas facile pour moi. Aussi te serais-je reconnaissante de m'écouter sans m'interrompre, jusqu'à la fin. Alors voilà. D'abord – et c'est peut-être le plus important –, je te dois des excuses. Je me suis comportée comme une idiote et c'est ma bêtise, mon inconséquence qui t'ont jeté sur les routes. Je croyais que tu plaisantais... Non, pas que tu plai-santais. En fait, je te prenais encore pour un petit garçon, un petit garçon bien trop timoré pour aller jusqu'au bout de ses belles et folles promesses. C'est seulement quand tu as été parti, et en voyant le temps passer, que j'ai compris. Las ! Au moment où j'ai réalisé que tu avais parlé sérieusement, il était déjà trop tard, beaucoup trop tard.

« J'ai dû vivre... jour après jour... avec l'idée que... que je t'avais peut-être envoyé à la mort.

Elle parlait en regardant obstinément devant elle et Tris-tan avait l'impression – qui ne fit que se confirmer – qu'elle avait déjà répété cette scène des centaines de fois dans sa tête en son absence. Voilà pourquoi elle l'avait pressé de ne pas intervenir : l'épreuve était déjà bien assez pénible pour elle sans qu'il vienne, de surcroît, l'embrouiller avec ses questions ou ses commentaires. Si, par malheur, il l'obligeait à s'écarter de son scénario, elle ne s'en sortirait jamais.

— Et je n'ai pas été très loyale envers toi, mon pauvre petit commis... mais tu n'es plus commis, maintenant, n'est-ce pas ? se reprit-elle, avant d'enchaîner : Comme je pensais que cette histoire de quête n'était qu'une promesse en l'air...

Elle s'interrompit. Ses mains agrippèrent les accoudoirs, si fort que les jointures de ses doigts, rougissant d'abord violemment, devinrent soudain exsangues.

— Demande-moi pourquoi je n'ai pas voulu t'embrasser ce soir-là, Tristan Thorn.

— C'était ton droit le plus strict, protesta Tristan. Écoute, je ne suis pas venu ici pour te faire de la peine, Vicky. Et, si je suis allé te chercher ton étoile, ce n'était tout de même pas pour te rendre malheureuse !

Elle inclina la tête de côté et coula vers lui un regard intrigué.

— Ah ! parce que... tu as vraiment trouvé l'étoile que nous avions vue, ce soir-là ?

— Oh oui ! s'exclama Tristan, d'un ton on ne peut plus convaincant. Elle est toujours dans la prairie, pour l'instant. Mais j'ai fait ce que tu m'avais demandé.

— Eh bien, fais encore quelque chose pour moi, maintenant : demande-moi pourquoi je n'ai pas voulu t'embrasser ce soir-là. Après tout, je t'avais déjà embrassé avant, quand nous étions enfants.

— Bon. D'accord, Vicky. Pourquoi n'as-tu pas voulu m'embrasser ce soir-là ?

— Parce que...

Et, sur le point de passer aux aveux, elle avait dans la voix une espèce d'immense soulagement, qui semblait s'échapper d'elle à son insu, comme délivré, enfin.

— ... parce que, la veille du jour où nous avons vu cette étoile filante, Robert m'avait demandée en mariage. Ce soir-là, quand tu m'as servie au magasin, c'était pour le voir que j'étais venue, pour lui parler, pour lui dire que j'acceptais de l'épouser et qu'il pouvait demander ma main à mon père.

— Robert ? fit Tristan, l'esprit en déroute.

— Robert Lundy. Tu travaillais pour lui.

— Mr. Lundy ! répéta Tristan, abasourdi. Toi et Mr. Lundy !

— Parfaitement.

Elle le regardait droit dans les yeux, à présent.

— Et puis, il a fallu que tu me prennes au sérieux et que tu te sauves en courant pour aller me chercher une étoile ! Et, depuis, il ne s'est pas passé un seul jour sans que je me reproche ma bêtise et que je m'en veuille du mal que j'avais fait. Car je t'avais promis ma main, si tu revenais avec cette étoile, Tristan Thorn. Et il y avait des jours où je me demandais vraiment ce qui serait le pis : que tu te fasses tuer, par amour pour moi, dans ces lointaines Terres d'Outre-Mur, ou que tu parviennes à réaliser ton rêve insensé et que tu reviennes avec l'étoile pour réclamer ton dû et exiger ma main. Oh ! évidemment, il y a bien eu des gens pour me dire de ne pas m'en faire à ce point, qu'un jour ou l'autre tu serais parti là-bas, que c'était inévitable puisque c'est ta nature profonde et que c'est de là que tu viens, de toute façon. Mais, quelque part, au fond de mon cœur, je savais que j'avais mal agi et qu'un jour tu reviendrais pour faire de moi ta femme.

— Et tu l'aimes, Mr. Lundy ? lâcha Tristan, se raccrochant à la seule chose qu'il était sûr d'avoir comprise dans tout ce galimatias.

Elle acquiesça, puis releva la tête, pointant son charmant petit menton vers lui.

— Mais je t'ai fait une promesse, Tristan. Et je tiendrai parole. Je l'ai dit à Robert. Je suis la seule responsable de tout ce qui t'est arrivé – même de ta pauvre main brûlée. Et, si tu veux encore de moi, je suis à toi.

— Pour être franc, répondit Tristan, je crois plutôt que c'est moi le responsable, pas toi. Et j'aurais d'ailleurs bien du mal à regretter ne serait-ce qu'une minute de tout ce que j'ai fait – même si j'ai parfois rêvé de dormir dans un bon lit douillet et si je ne dois plus jamais regarder un loir avec les mêmes yeux. Mais tu ne m'as pas promis ta main, si je revenais avec l'étoile, Vicky, tu sais.

— Ah non ?

— Non. Tu m'as promis tout ce que je voudrais.

Victoria Forester se redressa vivement, en rivant les yeux au plancher. Deux grosses taches rouge brique étaient apparues sur ses joues blêmes, comme si elle avait été giflée et en gardait la marque infamante.

— Si j'ai bien compris, tu veux...

— Non, l'interrompit précipitamment Tristan. Non, je crois que tu n'as rien compris du tout, en fait. Tu m'as bien dit que tu me donnerais tout ce que je voudrais ?

— Oui.

— Eh bien...

Il marqua un temps.

— Eh bien, ce que je veux c'est que tu épouses Mr. Lundy. Je veux que tu te maries aussi vite que possible. Tiens ! cette semaine même, si ça peut se faire. Et je veux que vous soyez plus heureux qu'aucun couple d'amoureux l'a jamais été.

Victoria laissa échapper un frémissant soupir de soulagement.

— Tu parles sérieusement ? demanda-t-elle, en le dévisageant.

— Épouse-le. Tu as ma bénédiction. Comme ça, nous serons quittes, lui répondit-il d'un ton léger. Et ce n'est probablement pas l'étoile qui me contredira.

On frappa à la porte.

— Est-ce que tout se passe bien, ici ? s'enquit une voix masculine.

— Tout va bien, répondit Victoria. Entrez, Robert. Vous vous souvenez de Tristan Thorn, n'est-ce pas ?

— Bonjour, Mister Lundy, dit Tristan en lui serrant la main – qu'il avait molle et moite. J'ai cru comprendre que vous alliez vous marier bientôt. Permettez-moi de vous féliciter.

Mr. Lundy sourit – si tant est qu'on pût appeler « sourire » cette grimace plutôt réservée, habituellement, aux rages de dents –, puis tendit la main à Victoria Forester qui y glissa délicatement la sienne et se leva.

— Si vous voulez voir l'étoile, Miss Forester... lui proposa Tristan.

Mais Victoria secoua la tête.

— Je suis ravie que vous nous soyez revenu sain et sauf, Mister Thorn. Vous serez des nôtres à la noce, je présume ? Je peux compter sur vous.

— Rien ne pourrait me faire plus plaisir, soyez-en persuadés, répondit Tristan, qui était, quant à lui, persuadé du contraire.

La Septième Pie faisant salle comble avant même l'heure du petit déjeuner ? En temps ordinaire, cela ne se serait jamais vu. Mais ce n'était pas un jour ordinaire. C'était le jour de la foire et villageois et étrangers se pressaient dans l'auberge pour dévorer des monceaux de côtelettes d'agneau grillées, de bacon et de champignons frits, d'œufs brouillés et de boudin noir.

Dunstan Thorn attendait son fils au pub. Il se leva en le voyant descendre l'escalier, se dirigea vers lui et lui étreignit l'épaule en silence.

— Alors, comme ça, tu as réussi ! Et tu nous reviens sans une égratignure, lui dit-il, finalement.

Et il y avait de la fierté dans sa voix.

Aurait-il pris quelques centimètres depuis son départ ? s'interrogeait Tristan. Dans son souvenir, son père était plus grand.

— Bonjour Père, répondit-il. Je me suis juste brûlé la main.

— Ta mère t'attend à la ferme. Elle t'a préparé un bon petit déjeuner.

— Je rêve d'un petit déjeuner, avoua Tristan. Et de revoir Mère, bien entendu. Et puis... il faudrait qu'on parle.

Il ne parvenait pas à se sortir de la tête deux ou trois petites choses que Victoria Forester lui avait dites et qui le troublaient.

— On dirait que tu as grandi, reprit son père. Et tu aurais bien besoin d'aller faire un tour chez le barbier.

Il vida sa chope d'un trait et, entraînant son fils vers la porte, quitta avec lui la Septième Pie pour marcher dans l'air frais du petit matin.

Le père et le fils Thorn grimpèrent un échalier pour rejoindre un des champs paternels et, tandis qu'ils traversaient le pré où il avait joué étant petit, Tristan souleva la question qui le taraudait, autrement dit : le mystère de sa naissance. Son père lui répondit aussi honnêtement qu'il le put. Il lui parla pendant tout le trajet du retour, lui retraçant cet épisode de sa vie, comme s'il lui racontait une vieille histoire oubliée, qui serait arrivée, des siècles auparavant, à quelqu'un d'autre. Une histoire d'amour.

Et puis ils arrivèrent à ce qui avait été la maison de Tristan, où l'attendaient sa sœur et un petit déjeuner encore fumant préparé avec amour par la femme qu'il avait toujours crue être sa mère.

Madame Semele disposa les dernières fleurs de cristal sur son étal et jeta un regard réprobateur autour d'elle. Il était un peu plus de midi et les premiers chalands commençaient tout juste à déambuler sur le champ de foire. Aucun ne s'était encore arrêté à son stand.

— Y en a d'moins en moins, bougonna-t-elle. Et c'est d'pire en pire tous les neuf ans. Écoute bien c'que j'te dis là : bientôt, cette foire ne s'ra plus qu'un vague souv'nir. Oh ! Y a d'autres foires et d'autres champs d'foire, c'est pas ça qui m'inquiète. Mais celle-là a fait son temps. Encore quarante, cinquante, allez ! j'lui donne encore soixante ans, grand maximum, et ce s'ra cuit.

— Peut-être, mais cela m'importe peu, rétorqua sa servante. C'est la dernière à laquelle je prends part, de toute façon.

Dame Semele la fusilla du regard.

— J'croyais t'avoir d'puis longtemps fait passer l'goût d'l'insolence, espèce d'effrontée !

— Ce n'est pas de l'insolence. Regardez, répondit sa jeune esclave, en soulevant la chaîne d'argent qui la retenait captive.

La chaînette étincelait au soleil et pourtant, elle était... comment dire ? Plus fine, plus translucide qu'elle ne l'avait jamais été, presque impalpable. Par endroits, elle semblait moins faite d'argent que de fumée.

— Qu'est-ce que t'as fait ? cracha la vieille, la bave aux lèvres.

— Rien. Rien que je n'aie déjà essayé au cours de ces dix-huit dernières années, en tout cas. Le sort qui fait de moi votre esclave sera rompu le jour où la Lune perdra sa fille, pour peu que cela soit la semaine des deux lundis : mon séjour auprès de vous touche à sa fin.

Il était plus de 3 heures de l'après-midi. Assise sur l'herbe, près de la buvette de Mr. Bromios, l'étoile regardait fixement la brèche et, par la brèche, le village, de l'autre côté du mur. De temps à autre, les clients de la buvette lui proposaient un verre de vin, une chope de bière ou de ces longues saucisses toutes grasses dont ils semblaient raffoler. Chaque fois, elle refusait.

— Attendez-vous quelqu'un, ma chère ? lui demanda soudain une ravissante jeune femme.

Les heures passaient lentement. L'après-midi s'éternisait.

— Je ne sais pas vraiment, répondit l'étoile. Peut-être.

— Votre bon ami, si je ne me trompe. Ce n'est pas bien difficile à deviner, jolie comme vous l'êtes.

L'étoile hocha la tête.

— En un sens.

— Je m'appelle Victoria, Victoria Forester.

— Et moi Yvaine, dit l'étoile, en la regardant de haut en bas et inversement. Ainsi, c'est vous Victoria Forester. Votre renommée vous précède.

— Vous voulez parler du mariage, sans doute ? s'exalta Victoria, le rose aux joues et les yeux pétillants de fierté.

— Un mariage, vraiment ? s'enquit l'étoile.

À travers l'étoffe de sa robe, sa main droite se crispa sur la topaze pendue à sa taille. Elle tourna de nouveau les yeux vers la brèche et se mordit la lèvre.

— Oh ! ma pauvre chérie ! Quel mufle ce doit être pour vous faire attendre ainsi ! s'écria Victoria Forester, compatissante. Pourquoi ne franchiriez-vous pas le mur pour aller le chercher, s'il est de l'autre côté ?

— Parce que...

Yvaine s'interrompit brusquement.

— Oui, reprit-elle. C'est peut-être ce que je devrais faire.

Des bancs de nuages blancs et gris se partageaient le ciel, ne laissant apparaître que de petites taches bleues par intermittence.

— Si seulement ma mère pouvait être là, soupira l'étoile. J'aurais tant voulu lui dire au revoir avant.

Et elle se leva avec une gaucherie maladive.

Mais Victoria n'avait pas l'intention de laisser sa nouvelle amie lui faire faux bond si aisément. Déjà, elle la submergeait de détails sur la publication des bans, la licence de mariage et les dérogations spéciales qui ne pouvaient être obtenues qu'auprès de l'archevêque... Et comme elle avait de la chance que Robert ait des relations si haut placées ! Les noces étaient apparemment prévues six jours plus tard, à midi.

C'est alors que Victoria héla un homme d'allure fort respectable, un gentleman aux tempes grisonnantes qui fumait le cigare et qui souriait comme s'il souffrait d'une rage de dents.

— Et voici Robert, dit-elle. Robert, laissez-moi vous présenter Yvaine. Notre jeune amie attend son soupirant, précisa-t-elle à mi-voix. Yvaine, je vous présente Robert Lundy. Et vendredi prochain, à midi, je deviendrai Victoria Lundy. Peut-être pourriez-vous tirer profit de ceci, mon cher, dans votre speech au lunch, que, ce vendredi, il y aura deux Lundy réunis ?

Mr. Lundy tira à grosses bouffées sur son cigare et répondit à sa future épouse qu'il ne « manquerait assurément pas d'y réfléchir ».

— Mais alors, intervint Yvaine, qui pesait ses mots avec soin, vous n'allez donc pas épouser Tristan Thorn ?

— Non, répondit Victoria Forester.

— Ah, fit l'étoile. Bon.

Et elle se rassit.

Elle était toujours assise à la même place quand Tristan réapparut enfin, quelques heures plus tard. Il avait l'air préoccupé. Pourtant, dès qu'il l'aperçut, son visage s'éclaira.

— Bonjour, fit-il, en lui tendant la main pour l'aider à se relever. Vous vous êtes bien amusée en m'attendant ?

— Pas vraiment.

— Je suis désolé. J'aurais dû vous emmener avec moi au village.

— Oh non, certainement pas, affirma l'étoile, d'une voix égale. Je ne reste en vie que tant que je suis en Faërie. Mais, si jamais je mettais ne serait-ce qu'un pied dans votre monde, je ne serais plus rien qu'un bout de métal tombé du ciel, un gros grêlon gris, granuleux et glacé.

— Mais j'ai bien failli vous faire franchir la brèche ! s'écria Tristan, atterré. Hier soir encore, si les gardes ne nous avaient pas arrêtés...

— Oui. Ce qui prouve bien que vous n'êtes qu'un cornichon, un attardé et un... un lourdaud.

— Un imbécile, lui suggéra Tristan. Vous aimiez bien me traiter d'imbécile. Et de mufle. Ça commençait à me manquer.

— Eh bien, vous êtes tout cela à la fois, et plus encore. Pourquoi m'avez-vous fait attendre si longtemps ? Je croyais qu'il vous était arrivé quelque chose de terrible.

— Je suis désolé. Je ne vous quitterai plus.

— Non, lui dit-elle d'un ton grave et catégorique. Vous ne me quitterez plus.

Tristan chercha sa main. Elle noua ses doigts aux siens. Et ils déambulèrent ainsi, main dans la main, à travers le champ de foire. Le vent se levait. Auvents, banderoles et oriflammes claquaient et tournoyaient. Une petite pluie froide se mit à tomber. Ils cherchèrent refuge sous la banne d'un bouquiniste, comme maints autres badauds – créatures de magie tout autant qu'humains. Le bouquiniste remonta un carton plein de livres pour l'abriter sous la toile.

— Ciel d'avril, ciel de mai, pleure aujourd'hui, demain gai. Ciel de mai, ciel d'avril, sèche tes larmes de crocodile, chantonna, en se tournant vers eux, un grand gentleman en haut-de-forme qui était en train d'acheter un petit livre relié de cuir rouge.

Tristan lui sourit et hocha la tête, puis, comme la pluie semblait cesser, entraîna Yvaine au-dehors.

— Croyez-vous qu'ils diraient merci ? maugréa l'homme en haut-de-forme au bouquiniste, qui n'avait pas la moindre idée de ce dont il voulait parler et s'en moquait d'ailleurs éperdument.

— J'ai fait mes adieux à ma famille, annonça Tristan, tandis qu'ils s'éloignaient sans un regard en arrière. À mon père, à ma mère – je devrais plutôt dire « à la femme de mon père », je suppose – et à ma sœur, Louisa. Je ne crois pas que je reviendrai. Maintenant, il ne nous reste plus qu'à trouver une solution pour te...

Il s'interrompit, quêtant son assentiment. Elle hocha la tête avec un sourire.

— ... te renvoyer au ciel. Je pourrais peut-être venir avec toi ?

— Tu ne te plairais pas du tout, là-haut, trancha l'étoile. Donc... j'ai cru comprendre que tu n'allais pas épouser Victoria Forester ?

— Non.

— Je l'ai rencontrée. Savais-tu qu'elle attendait un enfant ?

— Quoi ? s'écria Tristan, aussi choqué que surpris.

— Cela m'étonnerait qu'elle le sache elle-même. Elle ne le porte que depuis une ou peut-être deux lunes seulement.

— Grand Dieu ! Mais comment le sais-tu ?

Elle haussa les épaules d'un air énigmatique.

— En tout cas, j'ai été bien contente d'apprendre que tu n'allais pas l'épouser.

— Eh bien, moi aussi, avoua-t-il.

La pluie se remit à tomber. Ils ne parurent cependant pas s'en rendre compte. Tristan lui étreignit la main.

— Tu sais, lui dit-elle, une étoile et un mortel...

— À moitié seulement. Tout ce que je pensais savoir à mon sujet : qui j'étais, ce que j'étais... tout était faux. Ou presque. Tu ne peux pas imaginer ce que ça fait : l'incroyable sensation de délivrance qu'on éprouve !

— Quoi ou qui que tu sois, je voulais juste te faire remarquer que nous ne pourrons probablement jamais avoir d'enfant. C'est tout.

Tristan tourna les yeux vers elle. Un sourire se dessina sur ses lèvres. Il avait posé les mains sur ses bras, se tenait en face d'elle et la regardait sans mot dire.

— Juste pour que tu le saches, insista-t-elle.

Et elle se pencha vers lui.

C'est alors que, sous une froide averse printanière – quoique aucun des deux ne se soit aperçu qu'il pleuvait toujours –, ils échangèrent leur premier baiser. Le cœur de Tristan cognait dans sa poitrine, comme s'il n'était pas assez grand pour contenir toute sa joie. Tristan ouvrit les yeux, plongeant dans l'azur limpide d'un ciel sans nuages et, dans ce regard-là, il lut la promesse d'une union éternelle.

De la chaîne d'argent il ne restait plus, désormais, qu'un filet de fumée, une buée à peine. Pendant une fraction de seconde, elle flotta dans les airs, puis il y eut une bourrasque chargée de pluie et elle se dissipa dans le néant.

— Et voilà, fit la jeune fille aux cheveux noirs, en s'étirant comme un chat, un large sourire aux lèvres. Les conditions sont remplies : nous sommes quittes, à présent.

La vieille femme lui lança un regard de gibier aux abois.

— Mais comment j'vais faire ? J'suis vieille. Je n'peux pas m'occuper de ce stand toute seule. Faut-il que tu sois mauvaise, maudite souillon, pour me laisser tomber comme ça !

— Vos problèmes ne me concernent pas, répondit calmement celle qui avait été sa servante. Mais plus jamais on ne me traitera de « souillon », ni d'esclave, ni de toute autre chose. Dorénavant, on ne s'adressera plus à moi que par mon nom. Je suis Lady Una, premier enfant et fille unique du quatre-vingt-unième Maître de Stormhold. Le sortilège qui me retenait captive est rompu et je n'ai plus de comptes à vous rendre. Maintenant, vous allez me présenter vos excuses et m'appeler par mon véritable nom. Sinon, c'est avec un immense plaisir qu'aussi longtemps que je vivrai je vous traquerai pour vous détruire, vous et tout ce qui détient la moindre valeur à vos yeux.

Elles s'affrontèrent du regard. Ce fut la vieille qui capitula.

— Bon, alors j'vous dois des excuses pour vous avoir traitée d'souillon, Lady Una, cracha-t-elle, de si mauvaise grâce que chaque mot semblait lui être arraché de la gorge.

Lady Una hocha la tête.

— Bien. Mon temps étant accompli, je pense que vous me devez également quelques émoluments pour mes services, dit-elle. Car, en cela, il y a des règles à respecter.

Il pleuvait toujours. Des hallebardes. Comme à plaisir, l'averse cessait brusquement, juste assez longtemps pour débusquer le chaland sous son abri de fortune, puis, à peine avait-il hasardé dix pas en terrain découvert, elle se remettait à tomber de plus belle, le transperçant jusqu'aux os. Trempés et heureux, Tristan et Yvaine étaient assis devant un feu de camp, au milieu d'une compagnie bigarrée au sein de laquelle humains et créatures de magie, toutes plus étranges les unes que les autres, se confondaient.

Tristan leur avait demandé si quelqu'un, parmi eux, connaissait le petit homme velu qu'il avait rencontré au cours de ses tribulations et leur en avait fait une description aussi précise que possible. Plusieurs personnes disaient l'avoir rencontré par le passé, mais aucun ne l'avait jamais vu à la foire de Wall.

Tout en discutant de la sorte, il se prit à jouer avec les cheveux de l'étoile, enroulant machinalement de longues mèches mouillées autour de ses doigts. C'était presque comme si ses mains agissaient de leur propre chef. Il en vint même à se demander comment il avait pu mettre si longtemps à comprendre qu'il tenait à elle. Il le lui dit et elle le traita d'idiot, et il déclara que c'était le plus beau compliment qu'on ait jamais fait à un homme.

— Bon. Et où irons-nous quand la foire s'achèvera ? lui demanda-t-il tout à coup.

— Je ne sais pas, répondit-elle. Mais j'ai encore une dette dont je dois m'acquitter.

— Ah oui ?

— Oui. La topaze que je t'ai montrée. Je dois la remettre à quelqu'un, quelqu'un de précis. La dernière fois que la bonne personne s'est présentée, la femme de l'aubergiste lui a tranché la gorge. Alors, je l'ai gardée. Mais je voudrais bien m'en débarrasser.

— Dis-lui de te donner ce qu'elle porte, Tristan Thorn, fit une voix de femme derrière lui.

Tristan se retourna et rencontra un regard couleur de violette des prés.

— C'était vous l'oiseau, l'oiseau de la roulotte, murmura-t-il.

— Quand tu n'étais qu'un loir en cage, mon fils, lui rétorqua la jeune fille aux cheveux noirs. Oui, j'étais l'oiseau. Mais, à présent, j'ai recouvré ma véritable apparence et le mauvais sort qui m'avait réduite en esclavage a été rompu. Dis à Yvaine de te donner ce qu'elle porte. Tu en as le droit.

Il se tourna de nouveau vers l'étoile.

— Yvaine ?

Elle acquiesça d'un signe de tête.

— Yvaine, veux-tu me donner ce que tu portes ?

Un nuage troubla fugitivement l'azur de ses prunelles, comme si elle était intriguée ou déconcertée, puis elle glissa la main sous sa robe et lui tendit une grosse topaze qui se balançait sur une lourde chaîne d'argent.

— Ce collier appartenait à ton grand-père, reprit la fille

aux yeux violets. Tu es le dernier enfant mâle de la lignée des Stormhold. Mets-le à ton cou.

Tristan obéit. Comme il tâtonnait pour nouer la chaîne derrière sa nuque, il sentit les maillons s'entrelacer et se souder comme s'ils n'avaient jamais été brisés.

— C'est très joli, fit Tristan, ne sachant trop que penser.

— C'est le Pouvoir de Stormhold, et il t'appartient, désormais, lui dit sa mère. Nul ne peut te le disputer. Par ton sang, tu es le dernier descendant de la Maison des Stormhold. Tous tes oncles sont morts et enterrés. Tu feras un grand Maître de Stormhold.

Tristan la dévisagea, incrédule.

— Mais je n'ai aucune envie d'être « Maître » d'où que ce soit, ni de quoi que ce soit, protesta-t-il, si ce n'est peut-être du cœur de ma bien-aimée.

Et il prit la main de l'étoile pour la presser contre son cœur, en lui souriant tendrement.

La fille aux yeux violets frétilla des oreilles avec un geste d'impatience.

— En presque dix-huit ans, je ne t'ai jamais rien demandé, Tristan Thorn. Et voici qu'à présent, à la première requête que je t'adresse, alors que je sollicite de ta part la chose la plus simple qui soit – à peine une faveur, en somme –, tu oses me dire non ? Enfin, Tristan ! est-ce une façon de parler à sa mère ?

— Non, Mère.

— Bien, poursuivit-elle, quelque peu rassérénée. Je pense également, jeunes gens, qu'il serait bon que vous ayez un toit et, quant à toi, Tristan, que tu aies une véritable occupation. Et puis, si cela ne te convient pas, tu pourras toujours partir. Il n'y aura jamais de chaîne d'argent pour te retenir au trône de Stormhold.

Tristan jugea ces propos tout à fait rassurants. Mais Yvaine ne se laissait pas si aisément impressionner : elle savait, elle, que les chaînes n'ont pas toujours l'apparence qu'on leur connaît et qu'il en existe de toutes sortes, souvent d'autant plus lourdes à porter qu'invisibles. Mais elle savait aussi qu'il aurait été mal venu d'inaugurer sa vie de couple avec Tristan par une dispute avec sa mère.

— Me feriez-vous l'insigne honneur de me dévoiler à qui nous avons le privilège et l'avantage de parler ?

hasarda-t-elle, tout en se demandant si elle n'en faisait pas un peu trop.

À la façon dont la mère de Tristan se rengorgea, l'étoile sut qu'il n'en était rien.

— Je suis Lady Una, Dame de Stormhold, répondit-elle.

Elle plongea alors la main dans un réticule pendu à sa taille et en sortit une rose de cristal, d'un rouge si sombre qu'à la clarté vacillante des flammes, il en devenait presque noir.

— Voici mes gages, annonça-t-elle. Le prix de soixante années de servitude. Cela l'a crucifiée de devoir me la donner, mais les règles sont les règles et elle aurait perdu tous ses pouvoirs – et même davantage –, si elle avait refusé de s'y soumettre. J'ai l'intention de l'échanger contre un palanquin pour rentrer à Stormhold. Car nous devons faire une arrivée triomphale : il y faut du panache, de la distinction. Oh ! Le Fort de la Tempête m'a tellement manqué ! Il nous faudra aussi des porteurs, et une escorte à cheval, et peut-être un éléphant – ils sont si imposants. Rien de plus efficace pour dire « écartez-vous de mon chemin » qu'un éléphant...

— Non, lâcha Tristan.

— Non ?

— Non. Vous pouvez voyager en palanquin avec un éléphant, ou même un chameau et tout le tremblement, si ça vous chante, Mère. Mais Yvaine et moi rentrerons par nos propres moyens. Et quand bon nous semblera.

Lady Una prit une profonde inspiration : le temps tournait à l'orage et Yvaine se dit qu'elle ferait mieux de ne pas se trouver là quand il éclaterait. En conséquence de quoi elle se leva et annonça qu'elle avait besoin de prendre l'air. Elle ne s'éloignerait pas, promit-elle, et reviendrait vite. Tristan eut beau la supplier des yeux, elle secoua la tête avec fermeté. C'était son combat : à lui de le remporter. Et il le mènerait bien mieux sans elle.

Elle promenait sa démarche claudicante à travers le champ de foire qu'envahissait déjà la pénombre du crépuscule. En entendant de la musique et des applaudissements, elle arrêta ses pas devant une tente. La chaude lumière dorée qui s'en échappait se répandait sur l'herbe noire comme une coulée de miel. Elle écouta la musique et laissa vagabonder ses pensées. Ce fut à ce moment-là qu'elle aperçut une femme borgne aux cheveux blancs, toute courbée sous le fardeau des ans, qui clopinait vers elle. La vieillarde la pria de s'arrêter un instant pour bavarder avec elle.

— De quoi ? lui demanda l'étoile.

Si ratatinée par l'âge qu'elle n'était guère plus grande qu'un enfant, l'aïeule s'appuyait sur un bâton aussi haut et racorni qu'elle. Ses mains, aux doigts rongés par le temps et aux articulations enflées par la maladie, se crispaient sur le bois poli comme des serres. Elle leva vers l'étoile son œil valide et le globe laiteux aux reflets bleutés qui ne voyait plus, désormais, que ténèbres.

— Je suis venue chercher ton cœur pour le ramener chez moi, dit-elle.

— Ah vraiment ?

— Si fait, acquiesça la vieillarde. J'ai d'ailleurs bien failli te le prendre, là-bas, dans le défilé.

L'évocation de ce charmant souvenir lui arracha un ricanement guttural de vieux coq enroué.

— Tu n't'le rappelles pas ?

Elle portait un volumineux havresac qui lui faisait une grosse bosse dans le dos. Une corne d'ivoire torsadée en dépassait. Yvaine n'eut guère besoin de se demander où elle l'avait déjà vue.

— C'était vous ? souffla-t-elle. C'était vous, la femme aux deux couteaux ?

— Hmm. C'était moi. Mais j'ai gaspillé toute la jeunesse que j'avais emmagasinée pour le voyage. Chaque sort que j'ai jeté m'en a grignoté un p'tit bout et, maintenant, je suis plus vieille que je n'l'ai encore jamais été.

— Si vous osez me toucher, la menaça l'étoile, si vous portez seulement la main sur moi, je vous jure que vous allez le regretter jusqu'à la fin des temps, chaque jour davantage.

— Quand tu auras mon âge – si jamais tu vas jusque-là –, les regrets n'auront plus de secret pour toi et tu sauras qu'avec le temps, ce n'est pas un regret de plus ou de moins, ici ou là, qui change grand-chose à l'affaire.

Elle huma l'air comme un chien. Sa robe, élimée et toute rapiécée – qui avait dû être rouge dans une autre vie –, bâillait à l'épaule, découvrant une cicatrice fripée, séquelle d'une blessure qui semblait vieille de plusieurs siècles.

— Ce que je voudrais savoir, c'est pourquoi je ne peux plus te trouver dans ma tête. Oh ! Tu es encore là, dit-elle, en pointant un index noueux sur son crâne dégarni. Mais comme un fantôme, un feu follet. Y a pas si longtemps, tu brûlais, ton cœur brûlait dans mon esprit comme un brasier ardent. Mais, après cette nuit-là, à l'auberge, il est devenu de plus en plus irrégulier et de plus en plus sourd et, maintenant, il n'est plus là du tout.

Yvaine se rendit alors compte qu'elle n'éprouvait guère que de la pitié pour cette misérable créature, qui avait pourtant voulu sa mort.

— Se pourrait-il que le cœur que vous cherchez ne m'appartienne plus ? suggéra-t-elle.

La sorcière se mit alors à tousser. Chaque quinte semblait lui arracher les entrailles et sa vieille carcasse en était toute secouée. L'étoile attendit qu'elle reprenne son souffle.

— J'ai donné mon cœur à un autre, expliqua-t-elle.

— Le garçon ? Celui de l'auberge ? Celui avec la licorne ?

— Oui.

— Tu aurais mieux fait de me laisser le ramener à la maison pour mes sœurs et moi, alors. On aurait pu redevenir jeunes et traverser un nouvel âge avec la beauté de nos vingt ans. Ce garçon va le briser, ou le gâcher, ou le perdre. Ils le font tous.

— Il n'en demeure pas moins que mon cœur lui appartient, insista Yvaine. J'espère que vos sœurs ne se montreront pas trop dures avec vous, lorsque vous rentrerez sans lui.

Ce fut à ce moment-là que Tristan arriva. Il lui prit la main avec un hochement de tête pour la vieille femme.

— C'est réglé, lui dit-il. Plus de souci à se faire.

— Et le palanquin ?

— Oh ! Mère voyagera en palanquin. Quant à nous, j'ai été obligé de jurer que nous irions à Stormhold, tôt ou tard. Mais nous pourrons prendre tout notre temps. Je me disais que nous devrions nous acheter une paire de chevaux et voir du pays.

— Et ta mère y a consenti ?

— De guerre lasse, fit-il joyeusement. Mais, excusez-moi d'avoir interrompu votre conversation...

— Nous en avions presque fini, lui assura l'étoile.

Et elle se retourna vers la vieillarde.

— Mes sœurs seront dures, mais pas cruelles, lui répondit celle-ci. Merci tout de même de t'en inquiéter. C'est un sentiment qui t'honore et que j'apprécie. Tu as bon cœur, mon enfant. Dommage que ce ne soit pas moi qui en profite.

Yvaine se pencha alors vers l'aïeule pour l'embrasser sur la joue. De robustes poils lui râpèrent les lèvres.

Puis Tristan et l'Élue de son Cœur s'éloignèrent en direction du mur.

— C'était qui, cette vieille bonne femme ? s'enquit Tristan. Elle me disait quelque chose. Elle ne t'a pas ennuyée, j'espère ?

— Non, c'est juste une vague connaissance croisée sur la route.

Derrière eux, scintillaient les lumières de la foire : lanternes, chandelles, feux de sorcières, étincelles magiques... rêve d'un ciel étoilé qui se serait posé sur terre. En face d'eux, par-delà la prairie, de l'autre côté de la brèche – que nul garde, à présent, ne surveillait –, s'étendait le village de Wall. Lampes à huile, lampes à gaz et bougies brillaient aux fenêtres des maisons. Comment imaginer vision plus paisible et plus familière ? Pourtant, elles parurent soudain à Tristan si lointaines et si étrangères qu'elles auraient tout aussi bien pu appartenir au monde des Mille et Une Nuits.

Il regardait les lumières de Wall (il en fut brusquement convaincu) pour la dernière fois. Il les regarda longtemps sans rien dire, l'étoile filante debout à ses côtés. Puis il tourna les talons et, d'un même pas, ils se dirigèrent vers l'Est.

Épilogue

Dans lequel plusieurs fins se peuvent discerner.

Nombreux furent ceux qui le regardèrent comme l'un des plus grands de l'histoire de Stormhold, le jour où Lady Una, depuis si longtemps disparue qu'on la tenait pour morte (n'avait-elle pas été enlevée, tout enfant, par une sorcière ?), revint sur ses terres. Festivités, feux d'artifice et réjouissances (officielles et autres) durèrent des semaines après son arrivée : une arrivée en grande pompe, en palanquin, à la tête d'un éblouissant cortège conduit par trois éléphants.

La joie des habitants de Stormhold et de toutes ses provinces fut portée à son comble lorsque Lady Una annonça qu'au cours de cette longue séparation elle avait donné naissance à un fils qui, en l'absence de ses deux derniers oncles, présumés morts, était désormais le seul héritier du trône. Pour preuve, leur dit-elle, il portait déjà le Pouvoir de Stormhold à son cou.

Il la rejoindrait bientôt, avec sa jeune épousée, quoiqu'elle ne pût apporter guère plus de précision quant à la date de ces retrouvailles – ce qui semblait la contrarier plus qu'elle ne voulait bien le montrer. En attendant, Lady Una annonça qu'elle assurerait l'intérim en tant que régente. Ce qu'elle fit et fit bien, si bien même que, sous sa gouverne, les provinces établies sur les versants du mont Huon et même aux alentours connurent une prospérité jusqu'alors inégalée.

Trois autres années s'écoulèrent avant que deux vagabonds poussiéreux et fourbus n'arrivent à Fleur-de-nuages, vaste cité étendue au pied du Fort de la Tempête proprement dit. Ils prirent une chambre à l'auberge, réclamant aussitôt qu'on fît chauffer de l'eau et qu'on leur préparât un bain. Ils séjournèrent là quelques jours, conversant aimablement avec les autres pensionnaires et les clients de passage. Le dernier soir, la femme – qui avait des cheveux si blonds qu'ils en étaient presque blancs et qui boitait légèrement – regarda l'homme dans les yeux et lui dit :

— Alors ?

— Alors, Mère semble assurément savoir ce que régner veut dire. Elle fait du bon travail.

— Tout comme tu le ferais toi-même si tu montais sur le trône.

— Peut-être, admit-il. Et ça m'a tout l'air d'être l'endroit rêvé pour poser ses valises, le moment venu. Mais il y a tant de contrées que nous n'avons pas encore vues, tant de gens que nous n'avons pas encore rencontrés, sans même parler de tous les torts à redresser, de tous les méchants à châtier, de toutes les splendeurs à admirer etc., tu sais.

La femme eut un petit sourire en coin.

— Eh bien, au moins, une chose est certaine : nous ne sommes pas près de nous ennuyer. Mais nous ferions tout de même mieux de laisser un mot à ta mère.

Et c'est ainsi que Lady Una de Stormhold se vit apporter, par un valet d'auberge, une simple feuille de papier pliée en trois et scellée par de la cire à cacheter. Le pauvre garçon fut soumis, séance tenante, à un interrogatoire en règle. Lady Una voulait tout savoir des deux voyageurs – un homme et sa femme – qui lui avaient confié la missive. Ayant renvoyé le jeune messager dans ses foyers, elle décacheta enfin la lettre et la lut. Elle lui était adressée personnellement et, après les salutations d'usage, disait ceci :

Retenus par un précédent engagement avec le monde. Arriverons... quand nous arriverons.

Elle était signée de Tristan et, à côté de sa signature, apparaissait par intermittence une empreinte qui scintillait dans la pénombre, comme si elle avait été saupoudrée de minuscules étoiles.

Mise devant le fait accompli, Una dut en prendre son parti.

Cinq autres années s'écoulèrent avant que les deux voyageurs ne reviennent s'installer définitivement dans la citadelle des cimes. Ils étaient couverts de poussière, harassés, en haillons et furent, tout d'abord – à la grande honte de tout le pays –, traités comme des vagabonds et pris pour des gredins. Ce ne fut que lorsque l'homme montra la topaze pendue à son cou qu'on reconnut en lui le fils unique de Lady Una.

L'investiture et les festivités subséquentes durèrent près d'un mois. Après quoi le jeune quatre-vingt-deuxième Maître de Stormhold s'attela à la tâche. Il prit peu de décisions, aussi peu que possible, mais celles qu'il prit furent de sages décisions – même si elles ne furent pas toujours considérées comme telles, sur le moment. Il se montra vaillant sur le champ de bataille – bien que sa main gauche ne lui fût plus d'aucune utilité – et fin stratège. Il mena son peuple à la victoire contre les Gobelins du Nord, quand ces derniers fermèrent les cols et s'attaquèrent aux voyageurs. Il forgea une paix durable avec les Aigles des Hautes Cimes, paix qui perdure encore aujourd'hui.

Son épouse, Lady Yvaine, était une belle femme blonde venue d'une lointaine contrée (bien que personne ne sût jamais vraiment laquelle). Quand elle et son mari étaient arrivés à Stormhold, elle avait décidé d'établir ses quartiers au faîte d'une des plus hautes tours de la citadelle, dans des appartements depuis longtemps abandonnés – pour avoir été jugés inhabitables par les gens du palais et leur suite, le toit s'en étant effondré lors d'une avalanche, un millier d'années auparavant. Personne n'avait jamais voulu résider en ces lieux parce qu'ils étaient désormais à ciel ouvert, battus par les vents et si vivement éclairés par la lune et les étoiles qu'en tendant la main on avait l'impression de pouvoir les attraper.

Tristan et Yvaine furent heureux. Pas éternellement, car le Temps, ce voleur impénitent, finit toujours par tout emporter au fin fond de ses oubliettes poussiéreuses –, mais ils furent heureux, autant qu'on puisse l'être, pendant longtemps. Puis la Mort vint, une nuit, murmurer son secret au quatre-vingt-deuxième Seigneur de Stormhold et il opina du chef en silence. Plus un mot ne devait franchir ses lèvres. Le peuple accompagna sa dépouille dans le Caveau des Ancêtres où il repose encore aujourd'hui.

Après la disparition de Tristan, il y eut ceux qui l'accusèrent d'avoir été membre de la Confrérie du Château et d'avoir conspiré à saper l'autorité de la Cour Impie. Mais il emporta la vérité sur cette affaire – comme sur tant d'autres – dans la tombe et elle n'a jamais été établie depuis.

Yvaine devint la Dame de Stormhold et se révéla un meilleur monarque que nul n'aurait osé l'espérer – et ce, tant en temps de guerre qu'en temps de paix. Contrairement à son défunt époux, elle ne subissait pas les outrages du temps : ses yeux demeuraient d'un bleu lumineux ; ses cheveux, d'or blanc et – comme les habitants de Stormhold auraient l'occasion de le découvrir – son caractère bien trempé, aussi prompt à s'enflammer que le jour où elle avait rencontré Tristan dans la clairière, près de l'étang.

Elle boite, encore aujourd'hui, mais personne, à Stormhold, ne songerait à faire la moindre remarque à ce sujet, pas plus que sur l'étrange manière dont elle scintille, parfois, dans l'obscurité.

On dit que, toutes les nuits, quand ses devoirs de souveraine le permettent, elle monte, à pied, et claudique, toute seule, jusqu'à la plus haute tour du palais et reste là, debout, pendant des heures et des heures, indifférente, semble-t-il, aux vents glacés des cimes. Elle ne dit rien, mais, les yeux rivés au firmament, regarde, avec une infinie tristesse dans les prunelles, l'inlassable ballet des étoiles éternelles.

Remerciements

Tout d'abord, mille mercis à Charles Vess. Nul autre, mieux que lui, ne peut rivaliser, aujourd'hui, avec les grands maîtres de la peinture fantastique victorienne : sans ses œuvres comme source d'inspiration, pas une ligne de ce livre n'aurait été écrite. Dès que je finissais un chapitre, je lui téléphonais et le lui lisais et il écoutait patiemment et riait juste au bon moment.

Je remercie aussi Jenny Lee, Karen Berger, Paul Levitz, Merrilee Heifetz, Lou Aronica, Jennifer Hershey et Tia Maggini, sans l'aide de qui ce livre n'aurait jamais vu le jour.

Je suis également énormément redevable à Hope Mirrlees, Lord Dunsany, James Branch Cabell et C.S. Lewis, où qu'ils puissent être aujourd'hui, pour m'avoir montré que les contes de fées s'adressaient aussi aux adultes.

Tori m'a prêté une maison et c'est là que j'ai écrit le premier chapitre. Et elle ne m'a rien demandé en échange, si ce n'est de faire d'elle un arbre.

Il y a ceux qui l'ont lu au fur et à mesure qu'il était écrit et qui m'ont dit ce qu'ils aimaient et ce qu'ils n'aimaient pas dans ce que je faisais. Ce n'est pas leur faute si je n'ai pas écouté. Je remercie tout particulièrement Amy Horsting, Lisa Henson, Diana Wynne Jones, Chris Bell et Susanna Clarke.

Ma femme, Mary, et mon assistante, Lorraine, ont fait plus que leur part de travail : elles ont tapé les premiers chapitres d'après mon brouillon manuscrit et je ne les en remercierai jamais assez.

Les enfants, pour être franc, ne m'ont été absolument d'aucun secours, et je crois sincèrement que je ne voudrais pas qu'il en soit jamais autrement.

Neil Gaiman, juin 1998

6827

Composition PCA
Achevé d'imprimer en France (La Flèche)
par Brodard et Taupin
le 15 octobre 2007. 43971
Dépôt légal octobre 2007. EAN 9782290005972
Éditions J'ai lu
87, quai Panhard-et-Levassor, 75013 Paris
Diffusion France et étranger : Flammarion